D0211132

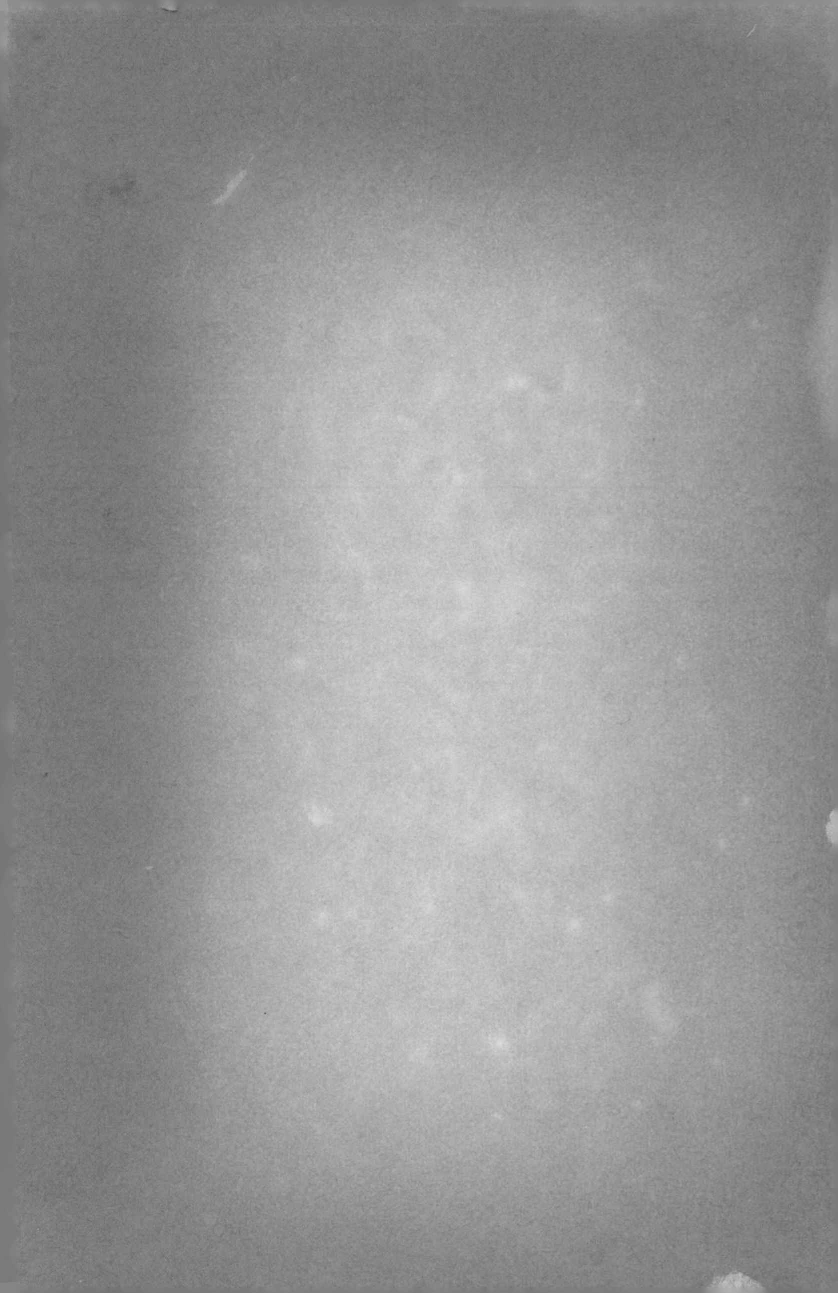

MANUEL GONZALEZ PRADA

ENSAYOS ESCOGIDOS

Selección y Prólogo de
Augusto Salazar Bondy

PATRONATO DEL LIBRO PERUANO

PRIMERA SERIE DE AUTORES PERUANOS

Colección dirigida por Manuel Scorza

1.—NARRACIONES Y LEYENDAS INCAS
Selección y prólogo de Luis E. Valcárcel.
2.—HISTORIA DE LA FLORIDA del Inca Garcilaso de la Vega.
Prólogo de Aurelio Miró Quesada.
3.—TRADICIONES PERUANAS de Ricardo Palma.
Selección y prólogo de Raúl Porras Barrenechea.
4.—LOS MEJORES CUENTOS PERUANOS (tomo 1)
Ventura García Calderón — Abraham Valdelomar — José Diez Canseco.
Selección y prólogo de Manuel Suárez Miraval.
5.—LOS MEJORES CUENTOS PERUANOS (tomo II).
José María Arguedas — Francisco Vegas Seminario — Julio Ramón Ribeyro.
Selección y prólogo de Estuardo Núñez.
6.—ENSAYOS ESCOGIDOS de Manuel González Prada.
Selección y prólogo de Augusto Salazar Bondy.
7.—POEMAS ESCOGIDOS de José Santos Chocano.
Selección y prólogo de Francisco Bendezú.
8.—PAISAJES PERUANOS de José de la Riva-Agüero.
Selección y prólogo de Raúl Porras Barrenechea.
9.—POEMAS ESCOGIDOS de César Vallejo.
Selección y prólogo de Gustavo Valcárcel.
10.—ENSAYOS ESCOGIDOS de José Carlos Mariátegui.
Selección de Aníbal Quijano.
Prólogo de Manuel Scorza.

EL Patronato del Libro Peruano, se complace en expresar su más profundo reconocimiento a:

BANCO DE CREDITO DEL PERU
COMPAÑIA AGRICOLA PERU
COMPAÑIA NACIONAL DE CERVEZA CALLAO
INTERNATIONAL PETROLEUM COMPANY
W. R. GRACE & Co.,

gracias a cuya ayuda económica ha sido posible editar la primera serie de autores nacionales para el "Festival del Libro Peruano", a fin de poner al alcance de todos los sectores del pueblo del Perú, las expresiones fundamentales de nuestra cultura. Agradecemos, también, la comprensión unánime del periodismo, sin cuyo estímulo no hubiera sido posible esta empresa.

MANUEL SCORZA
Coordinador General.

Rebeldía de González Prada

PARA *medir a los hombres, González Prada recomendaba proceder así: "A cuantos surjan con humos de propagandistas y regeneradores, no les preguntemos cómo escriben y hablan, sino cómo viven: estimemos el quilate de las acciones indefectibles en lugar de sólo medir los kilómetros de las herejías verbales". Difícil prueba la de esta medida, porque pocos son los hombres en quienes pensamiento y vida forman una ecuación cabal. González Prada es uno de ellos. Estos son también los pocos hombres a quienes se puede confrontar siempre con sus propias declaraciones, juzgar con sus propios juicios, medir con las medidas que aplican a los demás. Porque González Prada es uno de ellos, Blanco Fombona pudo retratarlo con la metáfora que el autor de* Páginas Libres *empleo para Vigil: "columna de mármol a orillas de río cenagoso". De él puede decirse también, sin hipérbole, repitiendo sus propias palabras sobre Grau, que "existía como un verdadero anacronismo", pues no cedió nunca a la fácil tentación del conformismo, ni transigió con la prevaricación y el error que lo rodeaban.*

Pero este solitario en medio de sus prójimos, este hombre en perenne conflicto con su ambiente, pudo vivir como si viviera en otro tiempo porque era hijo de su mundo y de su época. No hay lagunas ni excepciones en la historia, pero si las hubiera, González Prada no sería una de ellas. Vida y obra, en unidad ejemplar, testimonian sin cesar de un drama: la gestación del Perú moderno, la toma de contacto del país real con una historia en trance de definitiva universalización; vida y obra anuncian el surgimiento de una nueva conciencia en el hombre peruano y su ingreso a horizontes de existencia antes clausurados. Con sus excesos y sus limitaciones, con sus virtudes de combate y su aliento justiciero, el revanchismo, el antihispanismo, la exaltación de los héroes nacionales, la crítica mordaz de nuestros vicios y la simpatía por el indígena ponen al descubierto en González Prada no un pensamiento que planea en lo abstracto, sino una meditación nutrida por la experiencia de la realidad vivida.

Esta filiación concreta no se apoya tan sólo en un inventario de hechos, en la composición de lugar de su biografía o en el perfil individual y social de una personalidad en la que han dejado clara huella la tradición y la clase. El sentido entero de su acción la señala claramente. Este sentido es la rebeldía. González Prada encarna entre nosotros, por primera vez de manera franca y neta, al révolté, *a ese personaje principal de la historia moderna que Camus ha estudiado en un notable ensayo polémico. Del rebelde tiene el gesto de protesta y acusación, la actitud de permanente desafío, el desencanto del mundo y ese trasfondo moral de adhesión fraterna al hombre que, en contraparte de la negación, salva los valores esenciales de la existencia.*

Estos rasgos no se explican simplemente por la estructura de una personalidad. Piden un condicionamiento social, porque la rebeldía es una respuesta a estímulos humanos que toma sus motivos del ámbito en que la acción se desenvuelve, es decir, de una cultura concreta. La rebeldía de González Prada, que es predominantemente social y metafísica, tiene siempre el Perú a la vista y remite, en última instancia, a la patria sufrida. De esto no cabe dudar cuando se considera su enjuiciamiento del proceso histórico y del orden de cosas vigente en la realidad social: el tema central de González Prada es la historia y la sociedad peruanas, aunque su juicio no olvide la articulación del Perú dentro del cuadro de la realidad mundial. Parece menos cierto cuando se toca el tema de la irreligión y el anticlericalismo; es lo que se sobreentiende al tachar de artificial en nuestro ambiente la polémica religiosa que sostuvo el autor de Páginas Libres. *Se olvidan, sin embargo, los antecedentes nacionales de esta controversia, la acción coetánea que desarrollaron otros hombres y grupos combativos, y los casos análogos en ambientes históricos afines, como los de otros países latinoamericanos En este punto, pues, para un análisis desapasionado las cosas son diferentes. El Perú también está aquí a la vista: el combate religioso de González Prada es producto de la crisis histórica del catolicismo en la vida peruana; su motivación profunda, la toma de conciencia de las conexiones políticas, sociales y económicas que, en el desarrollo de nuestra cultura, han servido de soporte a la acción católica. Y aquí, una vez más, sin perjuicio del condicionamiento local, la polémica trasciende del plano nacional al mundial e incorpora elementos de crítica doctrinaria y filosófica que no conciernen exclusivamente al conflicto peruano.*

La función que cumplen estos elementos nos permiten comprender mejor en González Prada el sentido de su rebeldía. El rebelde metafísico González Prada se opone primordialmente a un estado de cosas humano en que el credo, el católico en particular, opera como factor regresivo o de estancamiento. Le interesan más los resultados humanos de la creencia que los motivos mismos de la temática religiosa, y en la eliminación de esos resultados, en la neutralización de sus causas determinantes se empeña íntegro. Allí reside toda la eficacia de su obra, pero también su limitación principal: se queda en la protesta, no alcanza la profundidad de la verdadera interpretación filosófica. Cosa semejante ocurre también en el terreno de la polémica social. Su reacción típica frente al ambiente en que le toca actuar es la del distanciamiento. González Prada denuncia y condena sin atenuantes. La rebeldía de este hombre de una sola pieza, que puede escudarse en su individualidad poderosa, prefiere los extremos tajantes a los matices, a las transiciones lentas, a esa fina urdimbre de luces y sombras que compone los cuadros reales y justamente por esta actitud monolítica González Prada pudo cumplir una función ejemplar de mentor del progreso, pero no encarnó nunca al verdadero revolucionario.

Si la rebeldía es el denominador común de la vida y la obra de González Prada y el factor determinante de ciertas constantes de su pensamiento, no significa esto que las manifesteciones que la rebeldía informa hayan sido las mismas a lo largo de su personal desenvolvimiento espiritual en diálogo con la existencia peruana. Pueden trazarse las líneas generales de una evolución en que gradualmente, la actitud primaria se hace más consciente de sus objetivos esenciales y también más apta para alcanzar resultados socialmente válidos. El estímulo inicial es la derrota en la Guerra del Pacífico. El impulso negador encuentra en ella su primer gran filón: la crítica del desastre y el proceso de los culpables. El polo positivo de la rebeldía es aquí la exal-

tación de los héroes y la reivindicación revanchista. Sobre el fondo de esta doble proyección surge el enjuiciamiento de nuestro pasado histórico, de la herencia española, de la tradición católica y de la organización social entera. Firmemente asido a los valores liberales de la vida, González Prada denuncia toda forma de imposición, de intolerancia y de servidumbre: es por eso antidictatorial, anticlerical y antiplutocrático. De rechazo, una honda corriente de simpatía, que anima artículos y conferencias, se establece entre sus motivaciones personales y las inquietudes de la masa popular. La literatura arma de liberación, el lenguaje fiel trasunto de los afanes y el ascenso de los pueblos, el pensamiento antena sensible a todas las conquistas de la razón libre son líneas complementarias del cuadro general en que halla expresión la actitud renovadora.

Paso a paso, al ritmo marcado por asiduas lecturas y por una infatigable labor de escritor, estos motivos se acendran, la crítica se hace más punzante y el pensamiento extiende su radio. González Prada se acerca a la realidad en torno con más experiencia de los hombres y las naciones: una prolongada estancia en Europa y una frustrada incursión por la política activa le han enseñado muchas verdades concretas ignoradas. Ahora su rebeldía no se satisface con el juicio sumario, le exige aplicarse a esa realidad, auscultarla minuciosamente. Con ademán de botánico, el agricultor de antaño clasifica especies y despista plagas: "nuestros conservadores", "nuestros magistrados", "nuestros inmigrantes"...

En la madurez de su acción, siguen vigentes para González Prada las posiciones básicas iniciales: es siempre antidictatorial, anticlerical y antioligárquico; es siempre liberal, defensor de la ciencia positiva y de la razón humana, y solidario con las clases populares. Pero la cuestión social es planteada ahora en términos de trabajo, explotación y propiedad; el problema indígena reconocido en su raíz socio-económica; los dogmas encarados en su dimensión social de instrumentos de dominio. No quiere agotar la rebeldía en la negación aislada de ciertas instancias, por ejemplo, en la oposición de religión y ciencia, sino llevarla a su pleno desenvolvimiento, mediante una crítica integral y orgánica de la vida social que combata la violación de derechos en todos los frentes y deje siempre intacta la esencia libre del individuo humano. Se declara así antipolítico, según la fórmula cara al anarquismo, ese revolucionarismo romántico en el que reconoce idealmente conciliadas la justicia para todos con la libertad individual. Y en anarquista militante, González Prada niega también la propiedad y el estado, rechaza todo dominio de clase o grupo, y quiere sustituir la imposición y la explotación en cualquiera de sus formas por la concordia moral y la armonía de la razón.

Así en su actividad postrera, nutrida por esta generosa doctrina, culmina intacta la parábola de la rebeldía. La distancia entre el negador y el mundo se mantiene y la protesta no ha perdido vigencia, porque los males denunciados enseñorean siempre la realidad; pero el mensaje moral encuentra ya múltiples ecos que van a difundir en todas las direcciones una nueva norma de conducta y suscitar aquí y allá esa anónima actitud de rechazo en que se prolonga siempre la rebeldía ejemplar. Nacido del ambiente peruano, el impulso renovador de González Prada se había separado de él para mejor penetrarlo y animarlo. Vuelto a él, comenzará a vivir perennemente en las luchas, en las inquietudes, en las mejores empresas del pueblo peruano; será una de *las fuerzas que resiste en sus derrotas y triunfa cada vez que la dignidad humana es rescatada de sus enemigos seculares.*

La presente antología quiere cumplir su finalidad principal de difusión, recogiendo las múltiples facetas de la obra de González Prada unificadas bajo el signo de la rebeldía. En ella habla, pues, el rebelde social, el político y el metafísico, pero también el rebelde en literatura, en arte, en ética, en estimativa de los hombres y la vida. Y a través de todos ellos, a cada paso se deja sentir la palabra del rebelde peruano.

Por más que todavía la virulencia de su prosa hiera sentimientos muy extendidos entre nosotros y haga presa de sectores de opinión que la historia corrida de fines del siglo XIX a esta parte nos ha enseñado a enjuiciar desde otra perspectiva, nuestra selección ha prescindido de este punto de vista. No era cuestión de dar aquí un González Prada ficticio, expurgado y corregido, sino el único real y valedero, el González Prada de excesos y virtudes que la historia del pensamiento y de las luchas sociales del Perú conserva y que nosotros, a nuestro modo, debemos conservar también para sobrepasarlo.

De las múltiples facetas de la obra de González Prada, una no ha sido incorporada: la del poeta. Razones editoriales han determinado este modo de proceder, pues la limitación del espacio disponible ha hecho preferible presentar una selección suficientemente amplia y variada de textos completos en prosa, en lugar de una antología mixta de poesía y prosa, insuficiente por partido doble. Pero la poesía de González Prada —que merece antología aparte— está ausente aquí sólo en la forma: está presente como aliento de la prosa, como fuente inspiradora y nervio de estas páginas sin par en la lite-

ratura peruana y con pocos pares en la de lengua española.

Los textos no han sido ordenados cronológicamente, sino por afinidad de temas. La fijación cronológica puede hacerse, sin embargo, mediante las notas aclarativas agregadas a cada uno de ellos. La breve nota biográfica y la guía bibliográfica que completan la edición ayudarán también en este sentido al lector interesado en extender su información sobre el autor.

Augusto Salazar Bondy.

BIOGRAFIA

Manuel González Prada nació en Lima el 6 de enero de 1848. Sus primeros años transcurrieron en esta ciudad y en Valparaíso, donde cursó estudios. De vuelta al Perú, luego de una breve estancia en el Seminario de Santo Toribio, ingresó al Convictorio de San Carlos donde, concluída su instrucción secundaria, estudió derecho, aunque no concluyó la carrera. Se inicia entonces su actividad de escritor que pronto le gana renombre como poeta. Pero no se entrega totalmente a ella: durante ocho años alterna las faenas literarias con los trabajos agrícolas en el valle de Mala. Declarada la guerra, en 1879, ingresa al ejército peruano como oficial de reserva, tomando parte en la batalla de Miraflores. Lima cae en poder del ejército chileno y González Prada se encierra en su hogar en señal de protesta. Saldrá de él, luego de firmada la paz, para iniciar una campaña de renovación nacional que se prolongará hasta su muerte.

Ella encuentra su primer cauce en el Círculo Literario, agrupación de escritores de la que González Prada llegó a ser Presidente, y luego en el partido Unión Nacional, surgido del Círculo Literario. De la Unión Nacional se separa en 1902, por considerar contraria a sus convicciones la línea de acción política fijada por sus dirigentes. Desde entonces continúa solo su combate por la renovación del país, desplegándo una intensa actividad de propagandista, animando periódicos, pronunciando conferencias, escribiendo siempre. Antes —entre 1891 y 1898— había viajado por Francia, Bélgica y España; allí gano experiencia directa sobre los movimientos sociales e información sobre las doctrinas políticas que traducían la inquietud de la Europa finisecular.

En 1912 ocupa su primer y único cargo público, la Dirección de la Biblioteca Nacional, pero no vacila en abandonarlo dos años más tarde como protesta contra el golpe militar que derrocó al Presidente Billinghurst. Vuelto a nombrar en 1916, permanecerá al frente de la Biblioteca hasta el 22 de julio de 1918, día de su muerte.

Obras de Manuel González Prada:

En prosa:

Páginas Libres, París, 1894 (1a. edición); Madrid, 1915 (2a. edición); Lima, 1946 (3a. edición).
Horas de Lucha. Lima, 1908 (1a. edición); Lima, 1924 (2a. edición); Buenos Aires, 1946 (3a. edición).
Nota informativa acerca de la Biblioteca Nacional. Lima, 1912.
La Biblioteca Nacional y Manuel González Prada. Lima, 1914 (?)
Memoria del Director de la Biblioteca Nacional. Lima, 1917.
Bajo el Oprobio, París, 1933.
Anarquía. Santiago, 1936 (1a. edición); Barcelona, 1938 (2a. edición); Santiago, 1940 (3a. edición); Lima, 1948 (4a. edición).
Nuevas Páginas Libres. Santiago, 1937.
Figuras y Figurones. París, 1938.

Propaganda y Ataque. Buenos Aires, 1938.
Prosa Menuda. Buenos Aires, 1941.
El Tonel de Diógenes. México, 1945.

En verso:

Minúsculas. Lima, 1901 (1a. edición); Lima, 1909 (2a. edición); Lima, 1928 (3a. edición); Lima, 1947 (4a. edición).
Presbiterianas. Lima, 1909 (1a. edición); Lima, 1928 (2a. edición).
Exóticas. Lima, 1911 (1a. edición); 1948 (2a. edición).
Trozos de Vida. París, 1933 (1a. edición); 1948 (2a. edición).
Baladas Peruanas. Santiago, 1935.
Grafitos. París, 1937.
Libertarias. París, 1938.
Baladas. París, 1939.
Adoración. Lima, 1947.

Algunos estudios sobre Manuel González Prada.

Alarco, Luis Felipe.—Manuel González Prada, en *Pensadores Peruanos*, Lima, 1952.
Basadre, Jorge.—*Ubicación sociológica de González Prada*, en: "Perú: Problema y Posibilidad", Lima, 1931.
Belaúnde, Víctor Andrés.—En *La Realidad Nacional*, París, 1931.
Blanco Fombona, Rufino.—González Prada en *Grandes Ecritores de América*, Madrid, 1917; publicado también como estudio preliminar en la 2a. edición de *Páginas Libres* y en *Figuras y Figurones*.
García Calderón, Ventura.—Un Ensayista, en *Del Romanticismo al Modernismo*, París, 1910.
García Calderón, *Semblanzas de América*, Madrid, 1920.
González Prada, Adriana de.—*Mi Manuel*, Lima, 1947.
Iberico Rodríguez, Mariano.—González Prada, pensador, en *El Nuevo Absoluto*, Lima, 1926.
Mariátegui, José Carlos.—El Proceso de la Literatura, en *Siete Ensayos de Interpretación de la Realidad Peruana*, Lima, 1928.
Riva-Agüero, José de la.—*Carácter de la Literatura del Perú Independiente*, Lima, 1905.
Sánchez, Luis Alberto.—*Elogio de Don Manuel González Prada*, Lima, 1922.
Sánchez, Luis Alberto.—*Don Manuel*, Lima, 1930.
Instituto de las Españas.—*González Prada*. Vida y obra; bibliografía; antología, New York, 1938.

DISCURSO EN EL POLITEAMA *

I

Señores:

Los que pisan el umbral de la vida se juntan hoy para dar una lección a los que se acercan a las puertas del sepulcro. La fiesta que presenciamos tiene mucho de patriotismo y algo de ironía; el niño quiere rescatar con el oro lo que el hombre no supo defender con el hierro.

Los viejos deben temblar ante los niños, porque la generación que se levanta es siempre acusadora y juez de la generación que desciende. De aquí, de estos grupos alegres y bulliciosos, saldrá el pensador austero y taciturno; de aquí, el poeta que fulmine las estrofas de acero retemplado; de aquí, el historiador que marque la frente del culpable con un sello de indeleble ignominia.

Niños, sed hombres, madrugad a la vida, porque ninguna generación recibió herencia más triste, porque ninguna tuvo deberes más sagrados que cumplir, errores más graves que remediar ni venganzas más justas que satisfacer.

En la orgía de la época independiente, vuestros antepasados bebieron el vino generoso y dejaron las heces. Siendo superiores a vuestros padres, tendréis derecho para escribir el bochornoso epitafio de una generación que se va, manchada con la guerra civil de medio siglo, con la quiebra fraudulenta y con la mutilación del territorio nacional.

Si en estos momentos fuera oportuno recordar vergüenzas y renovar dolores, no acusaríamos a unos ni disculparíamos a otros. ¿Quién puede arrojar la primera piedra?

La mano brutal de Chile despedazó nuestra carne y machacó nuestros huesos; pero los verdaderos vencedores, las armas del enemigo, fueron nuestra ignorancia y nuestro espíritu de servidumbre.

II

Sin especialistas, o más bien dicho, con aficionados que presumían de omniscientes, vivimos de ensayo en ensayo: ensayos de aficionados en Diplomacia, ensayos de aficionados en Economía Política, ensayos de aficionados en Legislación y hasta ensayos de aficionados en Tácticas y Estrategias. El Perú fue cuerpo vivo, expuesto sobre el mármol de un anfiteatro, para sufrir las amputaciones de cirujanos que tenían ojos con cataratas seniles y manos con temblores de paralítico. Vimos al abogado dirigir la hacienda pública, al médico emprender obras de ingeniatura, al teólogo fantasear sobre política interior, al marino decretar en administración de justicia, al comerciante mandar cuerpos de ejército... ¡Cuánto no vimos en esa fermentación tumultosa de todas las mediocridades, en esas vertiginosas apariciones y desapariciones de figuras sin consistencia de hombre, en ese continuo cambio de papeles, en esa Babel, en fin, donde la ignorancia vanidosa y vocinglera se sobrepuso siempre al saber humilde y silencioso!

Con las muchedumbres libres aunque indisciplinadas de la Revolución, Francia marchó a la victoria; con los ejércitos de indios disciplinados y sin libertad, el Perú irá siempre a la derrota. Si del indio hicimos un siervo ¿qué patria defenderá? Como el siervo de la Edad media, sólo combatirá por el señor feudal.

Y, aunque sea duro y hasta cruel repetirlo aquí, no imaginéis, señores, que el espíritu de servidumbre sea peculiar a sólo el indio de la puna: también los mestizos de la costa recordamos tener en nuestras venas sangre de los súbditos de Felipe II mezclada con sangre de los súbditos de Huayna-Capac. Nuestra columna vertebral tiende a inclinarse.

La nobleza española dejó su descendencia degenerada y despilfarradora: el vencedor de la Independencia legó su prole de militares y oficinistas. A sembrar el trigo y extraer el metal, la juventud de la generación pasada prefirió atrofiar el cerebro en las cuadras de los cuarteles y apergaminar la piel en las oficinas del Estado. Los hombres aptos para las rudas labores del campo y de la mina, buscaron el manjar caído del festín de los gobiernos, ejercieron una insaciable succión en los jugos del erario nacional y sobrepusieron el caudillo que daba el pan y los honores a la patria que exijía el oro y los sacrificios. Por eso, aunque siempre existieron el el Perú liberales y conservadores, nunca hubo un verdadero partido liberal ni un verdadero partido conservador, sino tres grandes divisiones: los gobiernistas, los conspiradores y los indiferentes por egoísmo, imbecilidad o desengaño. Por eso, en el momento supremo de la lucha, no fuimos contra el enemigo un coloso de bronce, sino una agrupación de limaduras de plomo; no una patria unida y fuerte, sino una serie de individuos atraídos por el interés particular y repelidos entre sí por el espíritu de bandería. Por eso, cuando el más oscuro soldado del ejército invasor no tenía en sus labios más nombre que Chile, nosotros, desde el primer general hasta el último recluta, repetíamos el nombre de un caudillo, éramos siervos de la Edad media que invocábamos al señor feudal.

Indios de punas y serranías, mestizos de la costa, todos fuimos ignorantes y siervos; y no vencimos ni podíamos vencer.

III

Si la ignorancia de los gobernantes y la servidumbre de los gobernados fueron nuestros vencedores, acudamos a la Ciencia, ese redentor que nos enseña a suavizar la tiranía de la Naturaleza, adoremos la Libertad, esa madre engendradora de hombres fuertes.

No hablo, señores, de la ciencia momificada que va reduciéndose a polvo en nuestras universidades retrógradas: hablo de la Ciencia robustecida con la sangre del siglo, de la Ciencia con ideas de radio gigantesco, de la Ciencia que trasciende a juventud y sabe a miel de panales griegos, de la Ciencia positiva que en sólo un siglo de aplicaciones industriales produjo más bienes a la Humanidad que milenios enteros de Teología y Metafísica.

Hablo, señores, de la libertad para todos, y principalmente para los más desvalidos. No forman el verdadero Perú las agrupaciones de criollos y extranjeros que habitan la faja de tierra situada entre el Pacífico y los Andes; la nación está formada por las muchedumbres de indios diseminadas en la banda oriental de la cordillera. Trescientos años ha que el indio rastrea en las capas inferiores de la civilización, siendo un híbrido con los vicios del bárbaro y sin las virtudes del europeo: enseñadle siquiera a leer y escribir, y veréis si en un cuarto de siglo se levanta o no a la dignidad de hombre. A vosotros, maestros de escuela, toca galvanizar una raza que se adormece bajo la tiranía del juez de paz, del gobernador y del cura, esa trinidad embrutecedora del indio.

Cuando tengamos pueblo sin espíritu de servidumbre, y militares y políticos a la altura del siglo, recuperaremos Arica y Tacna, y entonces y sólo entonces marcharemos sobre Iquique y Tarapacá, daremos el golpe decisivo, primero y último.

Para ese gran día, que al fin llegará porque el porvenir nos debe una victoria, fiemos sólo en la luz de nuestro cerebro y en la fuerza de nuestros brazos. Pasaron los tiempos en que únicamente el valor decidía de los combates: hoy la guerra es un problema, la Ciencia resuelve la ecuación. Abandonemos el romanticismo internacional y la fe en los auxilios sobrehumanos: la Tierra escarnece a los vencidos, y el Cielo no tiene rayos para el verdugo.

En esta obra de reconstitución y venganza no contemos con los hombres del pasado: los troncos añosos y carcomidos produjeron ya sus flores de aroma deletéreo y sus frutas de sabor amargo. ¡Que vengan árboles nuevos a dar flores nuevas y frutas nuevas! ¡Los viejos a la tumba, los jóvenes a la obra!

IV

¿Por qué desesperar? No hemos venido aquí para derramar lágrimas sobre las ruinas de una segunda Jerusalén, sino a fortalecernos con la esperanza. Dejemos a Boabdil llorar como mujer, nosotros esperemos como hombres.

Nunca menos que ahora conviene el abatimiento del ánimo cobarde ni las quejas del pecho sin virilidad: hoy que Tacna rompe su silencio y nos envía el recuerdo del hermano cautivo al hermano libre, elevémonos unas cuantas pulgadas sobre el fango de las ambiciones personales y a las palabras de amor y esperanza respondamos con palabras de aliento y fraternidad.

¿Por qué desalentarse? Nuestro clima, nuestro suelo ¿son acaso los últimos del Universo? En la tierra no hay oro para adquirir las riquezas que debe producir una sola Primavera del Perú. ¿Acaso nuestro cerebro tiene la forma rudimentaria de los cerebros hotentotes, o nuestra carne fue amasada con el barro de Sodoma? Nuestros pueblos de la sierra son hombres amodorrados, no estatuas petrificadas.

No carece nuestra raza de electricidad en los nervios ni de fósforo en el cerebro; nos falta, sí, consistencia en el músculo y hierro en la sangre. Anémicos y nerviosos, no sabemos amar ni odiar con firmeza. Versátiles en política, amamos hoy a un caudillo hasta sacrificar nuestros derechos en aras de la dictadura; y le odiamos mañana hasta derribarle y hundirle bajo un aluvión de lodo y sangre. Sin paciencia de aguardar el bien, exigimos improvisar lo que es obra de la incubación tardía, queremos que un hombre repare en un día las faltas de cuatro generaciones. La historia de muchos gobiernos del Perú cabe en tres palabras: imbecilidad en acción; pero la vida toda del pueblo se resume en otras tres: versatilidad en movimiento.

Si somos versátiles en amor, no lo somos menos

en odio: el puñal está penetrando en nuestras entrañas y ya perdonamos al asesino. Alguien ha talado nuestros campos y quemado nuestras ciudades y mutilado nuestro territorio y asaltado nuestras riquezas y convertido el país entero en ruinas de un cementerio; pues bien, señores, ese alguien a quien jurábamos rencor eterno y venganza implacable, empieza a ser contado en el número de nuestros amigos, no es aborrecido por nosotros con todo el fuego de la sangre, con toda la cólera del corazón.

Ya que hipocresía y mentira forman los polos de la Diplomacia, dejemos a los gobiernos mentir hipócritamente jurándose amistad y olvido. Nosotros, hombres libres reunidos aquí para escuchar palabras de lealtad y franqueza, nosotros que no tememos explicaciones ni respetamos susceptibilidades nosotros levantemos la voz para enderezar el esqueleto de estas muchedumbres encorvadas, hagamos por oxigenar esta atmósfera viciada con la respiración de tantos organismos infectos, y lancemos una chispa que inflame en el corazón del pueblo el fuego para amar con firmeza todo lo que se debe amar, y para odiar con firmeza también todo lo que se debe odiar.

¡Ojalá, señores, la lección dada hoy por los *Colegios libres de Lima* halle ejemplo en los más humildes caseríos de la República! ¡Ojalá todas las frases repetidas en fiestas semejantes no sean melifluas alocuciones destinadas a morir entre las paredes de un teatro, sino rudos martillazos que retumben por todos los ámbitos del país! ¡Ojalá cada una de mis palabras se convierta en trueno que repercuta en el corazón de todos los peruanos y despierte los dos sentimientos capaces de regenerarnos y salvarnos: el amor a la patria y el odio a Chile! Coloquemos nuestra mano sobre el pecho, el corazón nos dirá si debemos aborrecerle...

Si el odio injusto pierde a los individuos, el odio justo salva siempre a las naciones. Por el odio a Prusia, hoy Francia es poderosa como nunca. Cuando París vencido se agita, Berlín vencedor se pone de pie. Todos los días, a cada momento, admiramos las proezas de los hombres que triunfaron en las llanuras de Maratón o se hicieron matar en los desfiladeros de las Termópilas; y bien, "la grandeza "moral de los antiguos helenos consistía en el amor "constante a su amigos y en el odio inmutable a sus "enemigos"[1]. No fomentemos, pues, en nosotros mismos los sentimientos anodinos del guardador de serrallos, sino las pasiones formidables del hombre nacido para engendrar a los futuros vengadores. No diga el mundo que el recuerdo de la injuria se borró de nuestra memoria antes que desapareciera de nuestras espaldas la roncha levantada por el látigo chileno.

Verdad, hoy nada podemos, somos impotentes; pero aticemos el rencor, revolvámonos en nuestro despecho como la fiera se revuelca en las espinas; y si no tenemos garras para desgarrar ni dientes para morder ¡que siquiera los mal apagados rugidos de nuestra cólera viril vayan de cuando en cuando a turbar el sueño del orgulloso vencedor!

---

[1] Lessing, "Laokoon", VI.

(*) Discurso leído en el Teatro Politeama de Lima, el 28 de julio de 1888, en una velada patriótica organizada con el fin de recolectar fondos para el rescate de Tacna y Arica. Miguel Urbina leyó el discurso en lugar de su autor.

Forma parte del libro *Páginas Libres.* Transcrito aquí según el texto corregido de la 3a. edición (Lima, 1946), aunque sin conservar la peculiar ortografía del original. Con el objeto de unificar la forma de todos los textos incluídos en la presente antología, se ha procedido de igual manera con los otros textos de *Páginas Libres.*

GRAU *

I

Épocas hay en que todo un pueblo se personifica en un solo individuo: Grecia en Alejandro, Roma en César, España en Carlos V, Inglaterra en Cromwell, Francia en Napoleón, América en Bolívar. El Perú de 1879 no era Prado, La Puerta ni Piérola, era Grau.

Cuando el *Huáscar* zarpaba de algún puerto en busca de aventuras, siempre arriesgadas, aunque a veces infructuosas, todos volvían los ojos al Comandante de la nave, todos le seguían con las alas del corazón, todos estaban con él. Nadie ignoraba que el triunfo rayaba en lo imposible, atendida la superioridad de la escuadra chilena; pero el orgullo nacional se lisonjeaba de ver en el *Huáscar* un caballero andante de los mares, una imagen del famoso paladín que no contaba sus enemigos antes del combate, porque aguardaba contarles vencidos o muertos.

Nosotros, legítimos herederos de la caballerosidad española, nos embriagábamos con el perfume de acciones heroicas, en tanto que otros, menos ilusos que nosotros y más imbuídos en las máximas del siglo, desdeñaban el humo de la gloria y se engolosinaban con el manjar de victorias fáciles y baratas.

¡Y merecíamos disculpa!

El *Huáscar* forzaba los bloqueos, daba caza a los

transportes, sorprendía las escuadras bombardeaba los puertos, escapaba ileso de las celadas o persecuciones, y más que nave, parecía un ser viviente con vuelo de águila, vista de lince y astucia de zorro. Merced al *Huáscar*, el mundo que sigue la causa de los vencedores, olvidaba nuestros desastres y nos quemaba incienso; merced al *Huáscar* los corazones menos abiertos a la esperanza cobraban entusiasmo y sentían el generoso estímulo del sacrificio; merced al *Huáscar,* en fin, el enemigo se desconcertaba en sus planes, tenía vacilaciones desalentadoras y devoraba el despecho de la vanidad humillada, porque el monitor, vigilando las costas del Sur, apareciendo en el instante menos aguardado, parecía decir a la ambición de Chile: "Tú no pasarás de aquí". Todo esto debimos al *Huáscar,* y el alma del monitor era Grau.

II

Nació Miguel Grau en Piura el año 1834. Nada notable ocurre en su infancia, y sólo merece consignarse que, después de recibir la instrucción primaria en la *Escuela Náutica de Paila,* se trasladó a Lima para continuar su educación en el colegio del poeta Fernando Velarde.

A la muerte del discípulo, el maestro le consagró una entusiasta composición en verso. Descartando las exageraciones, naturales a un poeta sentimental y romántico, se puede colegir por los endecasílabos de Velarde, que Grau era un niño tranquilo y silencioso, quién sabe taciturno (1).

(1) *Nunca fuiste risueño ni elocuente*
Y tu faz pocas veces sonreía,
Pero inspirabas entusiasmo ardiente,
Cariñosa y profunda simpatía.
(Fernando Velarde).

Muy pronto debió de hastiarse con los estudios y más aún con el régimen escolar, cuando al empezar la adolescencia se enrola en la tripulación de un buque mercante. Seis o siete años navegó por América, Europa y Asia, queriendo ser piloto práctico antes que marino teórico, prefiriendo costear continentes y correr temporales a navegar mecido constantemente por las olas del Pacífico.

Consideró la marina mercante como una escuela transitoria, no como una profesión estable, pues al creerse con aptitudes para gobernar un buque, ingresó a la Armada nacional. ¿A qué seguir paso a paso la carrera del guardia marina en 1857, del capitán de navío en 1873, del contralmirante en 1879? Reconstituir conforme a plan matemático la existencia de un personaje, conceder intención al más insignificante de sus actos, ver augurios de proezas en los juegos inocentes del niño, es fantasear una leyenda, no escribir una biografía. En el ordinario curso de la vida, el hombre camina prosaicamente, a ras del suelo, y sólo se descubre superior a los demás con intermitencias, en los instantes supremos.

El año 1865 hubo momento en que Grau se atrajo las miradas de toda la nación, en que tuvo pendiente de sus manos la suerte del país. Conducía de los astilleros ingleses un buque de guerra a tiempo que la República se había revolucionado para deshacer el tratado Vivanco-Pareja. Plegándose a los revolucionarios, entregándoles el dominio del mar, Grau contribuyó eficazmente al derrumbamiento de Pezet.

La popularidad de Grau empieza al encenderse la guerra contra Chile. Antes pudo confundirse con sus émulos y compañeros de armas o diseñarse con las figuras más notables del cuadro; pero en los días de la prueba se dibujó de cuerpo entero, se destacó sobre todos, les eclipsó a todos. Fue comparado con Noel y Gálvez y disfrutó como Washington la dicha de ser "el primero en el amor de sus conciudadanos". El Perú todo le apostrofaba como Napoleón a Goethe: "Eres un hombre".

III

Y lo era tanto por el valor como por las otras cualidades morales. En su vida, en su persona, en la más insignificante de sus acciones, se conformaba con el tipo legendario del marino.

Humano hasta el exceso, practicaba generosidades que en el fragor de la guerra concluían por sublevar nuestra cólera. Hoy mismo, al recordar la saña implacable del chileno vencedor, deploramos la exagerada clemencia de Grau en la noche de Iquique. Para comprenderle y disculparle, se necesita realizar un esfuerzo, acallar las punzadas de la herida entreabierta, ver los acontecimientos desde mayor altura. Entonces se reconoce que no merecen llamarse grandes los tigres que matan por matar o hieren por herir, sino los hombres que hasta en el vértigo de la lucha saben economizar vidas y ahorrar dolores.

Sencillo, arraigado a las tradiciones religiosas, ajeno a las dudas del filósofo, hacía gala de cristiano y demandaba la absolución del sacerdote antes de partir con la bendición de todos los corazones. Siendo sinceramente religioso, no conocía la codicia —esa vitalidad de los hombres yertos—, ni la cólera violenta —ese momentáneo valor de los cobardes—, ni la soberbia —ese calor maldito que sólo engendra víboras en el pecho—. A tanto llegaba la humildad de su carácter que, hostigado un día por las alabanzas de los necios que asedian a los hombres de mérito, exclamó: "Vamos, yo no soy más que un pobre marinero que trata de servir a su patria".

Por su silencio en el peligro, parecía hijo de otros climas, pues nunca daba indicios del bullicioso atolondramiento que distingue a los pueblos meridionales. Si alguna vez hubiera querido arengar a su tripulación, habría dicho espartanamente, como Nelson en Trafalgar: "La patria confía en que todos cumplan con su deber". Hasta en el porte familiar se manifestaba sobrio de palabras: lejos de él la verbosidad que falsifica la elocuencia y remeda el talento. Hablaba como anticipándose al pensamiento de sus interlocutores, como temiendo desagradarles con la más leve contradicción. Su cerebro discernía con lentitud, su palabra fluía con largos intervalos de silencio, y su voz de timbre femenino contrastaba notablemente con sus facciones varoniles y toscas.

Ese marino forjado en el yunque de los espíritus fuertes, inflexible en aplicar a los culpables todo el rigor de las ordenanzas, se hallaba dotado de sensibilidad exquisita, amaba tiernamente a sus hijos, tenía marcada predilección por los niños. Sin embargo, su energía moral no se enervaba con el sentimiento como lo probó en 1865 al adherirse a la revolución: rechazando ascensos y pingües ofertas de oro, desoyendo las sugestiones o consejos de sus más íntimos amigos, resistiendo a los ruegos e intimaciones de su mismo padre, hizo lo que le parecía mejor, cumplió con su deber.

Tan inmaculado en la vida privada como en la

pública, tan honrado en el salón de la casa como en el camarote del buque, formaba contraste con nuestros políticos y nuestros guerreros, existía como un verdadero anacronismo.

Como flor de sus virtudes, trascendía la resignación: nadie conocía más el peligro, y marchaba de frente, con los ojos abiertos, con la serenidad en el semblante. En él, nada cómico ni estudiado: personificaba la naturalidad. Al ver su rostro leal y abierto, al coger su mano áspera y encallecida, se palpaba que la sangre venía de un corazón noble y generoso.

Tal era el hombre que en buque mal artillado, con marinería inexperta, se vio rodeado y acometido por toda la escuadra chilena el 8 de Octubre de 1879.

IV

En el combate homérico de uno contra siete, pudo Grau rendirse al enemigo; pero comprendió que por voluntad nacional estaba condenado a morir, que sus compatriotas no le habrían perdonado el mendigar la vida en la escala de los buques vencedores.

Efectivamente. Si a los admiradores de Grau se les hubiera preguntado qué exigían del Comandante del *Huáscar* el 8 de Octubre, todos habrían respondido con el Horacio de Corneille: "¡Que muriera!".

Todo podía sufrirse con estoica resignación, menos el *Huáscar* a flote con su Comandante vivo. Necesitábamos el sacrificio de los buenos y humildes para borrar el oprobio de malos y soberbios. Sin Grau en la Punta de Angamos, sin Bolognesi en el Morro de Arica ¿tendríamos derecho de llamarnos nación? ¡Qué escándalo no dimos al mundo, desde las ridículas escaramuzas hasta las inexplicables dispersiones en masa, desde la fuga traidora de los caudillos hasta las sediciones bizantinas, desde las maquinaciones subterráneas de los ambiciosos vulgares hasta las tristes arlequinadas de los héroes funambulescos!

En la guerra con Chile, no sólo derramamos la sangre, exhibimos la lepra. Se disculpa el encalle de una fragata con tripulación novel y capitán atolondrado, se perdona la derrota de un ejército indisciplinado con jefes ineptos o cobardes, se concibe el amilanamiento de un pueblo por los continuos descalabros en mar y tierra; pero no se disculpa, no se perdona ni se concibe la reversión del orden moral, el completo desbarajuste de la vida pública, la danza macabra de polichinelas con disfraz de Alejandros y Césares.

Sin embargo, en el grotesco y sombrío drama de la derrota, surgieron de cuando en cuando figuras luminosas y simpáticas. La guerra, con todos sus males, nos hizo el bien de probar que todavía sabemos engendrar hombres de temple viril. Alentémonos, pues: la rosa no florece en el pantano; y el pueblo en que nacen un Grau y un Bolognesi no está ni muerto ni completamente degenerado. Regocijémonos, si es posible: la tristeza de los injustamente vencidos conoce alegrías sinceras, así como el sueño de los vencedores implacables tiene despertamientos amargos, pesadillas horrorosas.

La columna rostral erigida para conmemorar el 2 de Mayo se corona con la victoria en actitud de subir al cielo, es decir, a la región impasible que no escucha los ayes de la víctima ni las imprecaciones del verdugo. El futuro monumento de Grau ostentará en su parte más encumbrada un coloso en ademán de extender el brazo derecho hacia los mares del Sur.

Catalina de Rusia fijó en una calle meridional de Sampetersburgo un cartel que decía: "Por aquí es el camino a Constantinopla". Cuando la raza eslava siente impulsos de caminar hacia las "tierras verdes" ¿no recuerda las tentadoras palabras de Catalina? Si Grau se levantara hoy del sepulcro, nos diría... Es inútil repetir sus palabras: todos adivinamos ya qué deberes hemos de cumplir, adónde tenemos que dirigirnos mañana.

(*) De *Páginas Libres.* Esta semblanza de Grau fue escrita en 1885.

NUESTROS MAGISTRADOS *

I

MARIANO Amézaga fue, no sólo un escritor sincero y viril, sino un abogado de honradez proverbial, un verdadero tipo en la más noble acepción del vocablo. Si un mal litigante pretendía encomendarle la defensa de algún pleito inicuo, Amézaga le desahuciaba suavemente:— "Amigo mío, como usted carece de justicia, yo no le defiendo". Si la causa le parecía justa, se encargaba de la defensa; pero las más veces le sucedía que no le pagaban los honorarios o que en el fragor de las peripecias forenses el litigante le decía socarronamente:— "Señor doctor, valgan verdades, acabo de saber por el reverendo padre N. N. que usted ha publicado un libro contra los dogmas de nuestra santa religión; y yo, como buen católico, no puedo seguir teniendo de abogado a un hereje". Consecuencia: sería prudente que los leguleyos de Lima hicieran grabar en su placa este agregado: frecuenta sacramentos.

Aunque el agregado se sobrentiende, dada la sicología de la corporación. Si algunos abogados jóvenes lloran la decadencia de la raza latina, se proclaman anglosajones y hablan de Spencer, Le Bon, Giddings, Hoeffding y Gumplowiez, los viejos no admiten novedades, se aferran a la enseñanza de su tiempo y declaran que la Sociología es una ciencia que no conocen ni desean conocer. Tienen por cerebro un fonógrafo con leyes y decretos; por corazón, un legajo de pidos y suplicos; por ciencias, un monstruo engendrado en el contubernio de la Teología con el Derecho Romano. Como la Sociología, no existen para ellos la Historia Natural, la Química, la Física, las Matemáticas, la Prehistoria ni la Geografía. Menos se cuidan de Literatura, que tomarían a Shaskpeare por un escribano ruso y a Homero por un juez alemán. No veneran más Biblia que el Diccionario de Legislación ni saben más que sus Códigos, su Práctica Forense y su Reglamento de Tribunales. No aceptan renovaciones porque van agazapados en su concha medioeval, porque llevan la cartera rebozando de diplomas universitarios mientras guardan el organismo salpicado de incrustaciones antidiluvianas. Como la oveja tardía, siguen el camino de las delanteras; como el castor, labran habitaciones idénticas a las que todos los castores labraron; como la ostra, nacen, se multiplican y mueren en el mismo ostral donde sus padres nacieron, se multiplicaron y murieron.

No obstante, en el Perú se concibe difícilmente que un hombre tenga valor intelectual o almacene algunos adarmes de sabiduria, sin haber obtenido el diploma de abogado; y tan sucede así que apenas un individuo pronuncia un discurso, escribe un drama, compone una novela o publica un libro de Historia, adquiere por voto nacional el título de doctor. Nos sorprende que al general Mendiburu, cuando se imprimió su Diccionario, no le pusieran el doctor y le quitaran el general; pero no nos admira, y antes juzgamos muy político y muy cuerdo, que nuestros revolucionarios dejen de titularse coroneles y empiecen a llamarse doctores. Las muchedumbres ignoran que no saber sino códigos es muy pobre saber.

Nadie vive tan expuesto a la deformación profesional como el abogado. ¿Qué recto corazón no se tuerce con el hábito de cifrar la justicia en el fallo aleatorio de un juez? ¿Qué privilegiado cerebro no se malea con algunos años de triquiñuelas y trapisondas? ¿Qué verbo, qué lenguaje, no se pervierte con el uso de la jerigonza judicial? ¿Qué buen gusto no se corrompe con el manejo diario de códigos, reglamentos y expedientes? En la abogacía como en un sepulcro voraz e insaciable, se han hundido prematuramente muchas inteligencias, quizá las mejores del país.

Muertos para la ciencia y el arte muchos sobreviven para el oficio, y degeneran en calamidad. Roma ni infunde tanta aversión por sus conquistas inhumanas como por su Derecho Romano y sus leguleyos. Los abogados eran quizás más temibles que los procónsules y los pretorianos. Juvenal no les prodiga muchos elogios, Tácito les iguala con los vendedores en las plazas de abastos, y el cónsul Cayo Silio afirma en pleno Senado que ellos ganan dinero con las iniquidades y las injusticias como los médicos negocian con las enfermedades. Hubo en el imperio tanto defensor de la justicia que hasta las mujeres abogaron; pero una matrona (no sabemos con seguridad si Afrania o Calpurnia) furiosa de perder un juicio, vuelve la espalda a los jueces, se arremanga, y... etcétera. Gracias a tan expresivo gesto se prohibió que las mujeres ejercieran la abogacía, y la Humanidad se libró de poseer doble o triple número de rábulas. La especie no dejó de abundar; así, cuando el mundo greco-latino se derrumbaba en la ignominia, falto de vigor para rechazar el empuje de los Barbaros, hormigueban en el Imperio los augures, los cocineros, los gladiadores y los retóricos, vale decir, la materia prima de los abogados.

Hoy surgen estos y operan en todo el mundo, desde las inmensas capitales donde tejen la red para que el millonario pesque y desbalije a los negociantes de pocos medios, hasta los reducidos villorrios donde arman el anzuelo para que el vecino acaudalado atrape y desnude a las gentes de menor cuantía. El abogado escolta siempre al usurero. Azuza también al déspota, cuando no funciona por cuenta propia, que en la América Española los gobernantes peores, los más abusivos y retrógrados, fueron abogados.

Y nada hemos dicho de ellos sobre su acción en las entidades colectivas y, de modo singular, en los parlamentos. Como un solo vaso de vinagre es más que suficiente para avinagrar un tonel de vino, así la lengua de un abogado basta y sobra para introducir el antagonismo y la confusión en la colectividad donde reinan la armonía y la concordia. Al oír las disertaciones jurídico-legales de un doctor, nadie se pone de acuerdo con nadie y las sencillísimas cuestiones de hechos se transforman en difusas e irresolubles altercaciones de palabras. Si hay reunidas quinientas personas, surgen cuatrocientas noventinueve maneras de solucionar un problema. Nos parece que en la torre de Babel no hubo confusión de lenguas, sino mezcolanza y rebujiña de abogados.

II

Antes de considerar a los administradores de la Justicia, nos hemos detenido en los rábulas trapacistas, porque el juez viene del abogado, como la vieja beata sale de la joven alegrona, como el policía y el soplón se derivan del ratero jubilado.

Alcibiades, que no era un bobo, decía: "Cuando un hombre es llamado por la Justicia, comete una necedad al comparecer, pues la cordura está en desaparecer;" y un parisiense, que seguramente sabía tanto como Alcibiades, se gozaba en repetir: "Si me acusaran de haberme robado las torres de Nuestra Señora, yo emprendería la fuga". Los ciudadanos del Perú deberían hacer lo mismo, si al verse enredados en una acusación criminal, compulsaran su estado financiero y hallaran que no disponían de lo suficiente para inclinar la balanza. Si la Justicia clásica llevaba en los ojos una venda, al mismo tiempo que en una mano tenía la espada y con la otra sostenía una balanza en el fiel; la Justicia criolla posee manos libres para coger lo que venga y ojos abiertos para divisar de qué lado alumbran los soles.

Que nos quiten la vergüenza, que nos provean de algunas libras esterlinas; y ya se verá si no logramos que los jueces nos declaren dueños legitimos de la Exposición y la catedral. Que nos transfundan la sangre de un matoide impulsivo, dándonos al mismo tiempo los dollars de un Carnegie o de un Rockfeller, y nos obligamos a infringir impunemente los mil o dos mil artículos del Código Penal. No hay iniquidad irrealizable ni reato ineludible, cuando se tiene dinero, influencia o poder; y los desgraciados que se anemizan en una cárcel o se consumen en la penitenciaría, no hallaron protector ni protectora o carecieron de razones tangibles.

Y no valen pruebas ni derechos. Como se busca un mal hombre para que pegue un esquinazo, así en los juicios intrincados se rebusca un juez para que anule un sumario, fragüe otro nuevo y pronuncie una sentencia donde quede absuelto el culpable y salga crucificado el inocente. Si por rarísima casualidad se topa con un juez integro y rebelde a toda seducción (masculina o femenina) entonces se recurre a una serie de recusaciones, hasta dar en el maleable y el venal. Si por otra rarísima casualidad, al juez apetecido no se le consigue en el lugar, se le encarga, se le hace venir desde unas doscientas o trescientas leguas.

Para calcular la independencia de los areópagos nacionales, basta rememorar cómo sentenciaron en los grandes litigios financieros y cómo proceden al elegir los miembros de la Junta Electoral: siempre siguen las insinuaciones o mandatos del Gobierno, de modo que eligen a demócratas si reina el Partido Demócrata, a civilistas si manda el Partido Civil. Los que a vista de la Nación descubren esa plasticidad no muy honrosa ¿qué harán a puerta cerrada, cuando nadie les ve ni los oye? Ignoramos si los que prestan medios de falsificar elecciones populares, sienten el menor escrúpulo de absolver a criminales y condenar a inocentes.

Sabiendo como se elige la Magistratura, se comprende todo. Según la Constitución: "Los Vocales y Fiscales de la Corte Suprema serán nombrados por el Congreso a propuesta en terna doble del Poder Ejecutivo; los Vocales y Fiscales de las Cortes Superiores serán nombrados por el Ejecutivo, a propuesta en terna doble de la Corte Suprema; y los Jueces de primer instancias y Agentes Fiscales, a propuestas en terna doble de las respectivas Cortes Superiores". Diferencias de formas, proque en sustancia el verdadero y único elector es el Presidente de la República: Corte y Parlamento deben llamarse dependencias del Ejecutivo. Hay vocales y fiscales que se nombran ellos mismos, gracias a un procedimiento de nueva invención y muy cómodo: siendo ministros, y hasta en el ramo de Justicia, dejan el cargo por algunas horas y se hacen proponer o elegir por el colega que los sustituye. Casi siempre, un alto puesto judicial viene en remuneración de servicios prestados al Gobierno; y como los tales servicios suelen adolecer de una limpieza sospechosa, convendría que las gentes observaran una medida higiénica: después de dar la mano a ciertos jueces, usar detersivos y desinfectantes.

Nada extraño que semejantes hombres *no sean instrumentos de la Justicia sino herramientas del Poder* y que hayan merecido las terribles acusaciones de Salazar y Mazarredo: "El infrascrito (decía el furibundo Comisario Regio en su nota dirigida el 12 de Abril de 1864 a nuestro ministro de Relaciones Exteriores) no calificará lo que son los tribunales del Perú, limitándose tan sólo a recordar que el actual subsecretario de negocios extranjeros de la Gran Bretaña, Mr. Layard, dijo hace poco en la Cámara de los Comunes, al discutirse la reclamación del Capitán White, que este súbdito británico tratado de un modo cruel como otros muchos, había tenido la desgracia de caer en la garras de lo que sólo por cortesía puede llamarse Corte de Justicia".

Como traemos ingenieros ingleses para alcantarillar las poblaciones, agrónomos belgas para enseñar Agricultura y oficiales franceses para disciplinar soldados, podríamos contratar alemanes o suecos para administrar justicia. No negaremos que por cada tribunal haya unos dos magistrados honorables y rectos, dignos de quedar en su puesto; más no les nombramos para que todos, si leen estas líneas, gocen el placer de creerse las ovejas sanas en el rebaño enfermo. Jucces hay justos: no todas las serpientes ni todos los hongos encierran ponzoña mortal. Sin embargo de todo, los Vocales disfrutan de esa veneración y de ese respeto que infunden las cosas divinas. Como un negro salvaje convierte en fetiche una caja de sardinas o una bota, así nosotros divinizamos a los miembros de las Cortes, principalmente a los de la Suprema. Nadie les toca ni les mira de igual a igual, todos les dan en todas partes el sitio de honor y les prodigan las consideraciones más exquisitas. ¿El señor vocal asoma? todo el mundo de pie. ¿El señor vocal entra? todo el mundo inclina la frente. ¿El señor vocal habla? todo el mundo sella los labios y bebe sus palabras, aunque diga simplezas con la magnitud del Himalaya y suelte vulgaridades con el tamaño de un planeta: vulgaridades y simplezas no dejan de abundar porque muchos de nuestros grandes magistrados, como el Dios Serapis de Alejandría, guardan en la cabeza un nido de ratones.

III

Nada patentiza más el envilecimiento de una sociedad que la relajación de su Magistratura. Donde la justicia desciende a convertirse en arma de ricos y poderosos, ahí se abre campo a la venganza individual, ahí se justifica la organización de maffias y camorras, ahí se estimula el retroceso a las edades prehistóricas. Y talvez ganaríamos en regresar a la caverna y al bosque, si lo realizaramos sin hipocresía ni términos medios; porque vale más el estado salvaje donde el individuo se hace justicia por su mano, que una civilización engañosa donde los unos oprimen y devoran a los otros, dando a las moyares iniquidades un viso de legalidad. Entre el imperio de la fuerza y el reinado de la hipocresía, preferiríamos la fuerza. Queremos hallarnos en una selva, frente a frente de un salvaje con su honda y su palo, no en un palacio de Justicia cara a cara de un leguleyo pertrechado con notificaciones y papel de oficio.

La tirania del soldado exaspera menos que la del juez: la primera se desbarata con un levantamiento popular o con la eliminación del individuo, la segunda no se destruye ni con trastornos sociales y conmociones políticas. Asesinamos, colgamos y calcinamos a los Gutiérrez: pero nunca nos atrevimos a cosas iguales con tanto juez venal y prevaricador. A esos tres soldados violentos y amenazadores no les sufrimos ni una semana; a muchos magistrados más perniciosos y más culpables que los Gutiérrez, les soportamos medio siglo. Que mientras desaparecen Cámaras y Gobiernos, los Tribunales de Justicia permanecen inalterables, como si poseyeran la incorruptibilidad del oro.

El tirano asume la responsabilidad de sus violencias resignándose a concentrar en su persona el odio de la muchedumbre; el juez causa el daño sin arrostrar las consecuencias, parapetándose en los Códigos y atribuyendo a deficiencias de la Ley los excesos de la malicia personal. Una Corte de Justicia es una fuerza irresponsable que desmenuza la propiedad, la honra y la vida, como las piedras de un molino trituran y pulverizan el grano. Su impasibilidad de estatua se parece a la codicia sin entrañas de una sociedad anónima.

Y sin embargo, ninguna clase disfruta de más seguridad ni de mayores privilegios. El militar nos despachurra con su bota o nos atraviesa con su espada; más da su vida por nosotros, cuando el país se ve amenazado por la invasión extranjera. El sacerdote nos adormece con sus monótonas canciones de otros días y nos explota con sus sacramentos, sus indulgencias y sus hermandades; pero asiste a los enfermos, consuela a los moribundos y expone su cuerpo a las flechas del salvaje. El Magistrado lo gana todo sin arriesgar nada: reposa cuando todos fatigan, duerme cuando todos velan, come cuando ayunan, ejerciendo una caballería andante en que Sancho hace las veces de don Quijote ¿Qué le importan las guerras civiles? Vive seguro de que, triunfen revolucionarios o gobiernistas, él seguirá disfrutando de honores, influencia, pingüe sueldo y veneración pública. En los naufragios nacionales, representa el leño que flota, la vejiga que sobrenada. Mejor aún, es el pájaro guarecido en su peñón: no se cuida de la tempestad que sumerge los buques ni piensa en el clamor de los infelices que naufragan.

Si nada vive tan sujeto a la deformación profesional como el abogado, ya se concibe lo que puede ser un administrador de Justicia, a los quince a veinte años de ejercicio. Al velocipedista de profesión le reconocemos instantáneamente porque, aún repantigado en una silla, tiene aire de mover el pedal y dirigir el timón; el juez le distinguimos de los demás hombres en la actitud de parecer hojear un expediente y fulminar una sentencia, aunque maneje un trinche o nos dé la mano. Y la deformación no se confina en lo físico: a fuerza de oir defender lo justo y lo injusto, con igual número de razones, el magistrado concluye por encerrar la justicia en una simple interpretación de la ley, así que un artículo del Código le sirve hoy para sostener lo contrario de lo que ayer afirmaba. Dicen que el Areópago de Atenas no pronunció una sola sentencia injusta. Valdría la pena escuchar la opinión de los atenienses que no ganaron sus pleitos.

Las leyes, por muy claras y sencillas que nos parezcan, entrañan oscuridades y complicaciones suficientes para servir al hombre honrado y al bribón, quien sabe más al bribón que al honrado. Mas suponiendo que ellas fuesen dechados de justicia y equidad ¿qué valen leyes buenas con jueces malos? Que un Marco Aurelio nos juzgue por un código draconiano, que ningún Judas nos aplique las leyes de Cristo.

Antes de operarse la división del *Trabajo social*, cada hombre reunía en su persona la triple función de litigante, magistrado y ejecutor de la sentencia. Hoy, que las labores se hallan perfectamente definidas y separadas, el juez aplica la ley, el carcelero guarda al culpable, el verdugo ejecuta la sentencia. En el abominable trío de verdugo, carcelero y juez, el juez aparece como la figura más odiosa, como proveedor de gemonias y patíbulos, como poderdante de carceleros y verdugos.

Y volvemos a decirlo: el pantano de la Magistratura no admite drenaje. Desde el excelentísimo de la Suprema, hasta el usía de Primera Instancia, todos los Magistrados llevan en su frente la misma inscripción: Nadie me toque. Y nadie les toca, y chicos y grandes les veneran como a sacerdotes de una religión intangible. Alguien afirmó que las Islas Canarias eran restos de la Atlántida, y el pico de Teide el fragmento de una cordillera. Si la sociedad peruana se hundiera mañana en un mar de sangre, escaparía la Magistratura: es nuestro Pico de Teide.

(*) Ensayo escrito en 1902. Forma parte del libro *Horas de Lucha*. Transcrito aquí de la 2a. edición, Lima, 1924.

NUESTROS INDIOS *

I

Los más prominentes sociólogos consideran la Sociología como una ciencia en formación y claman por el advenimiento de su Newton, de su Lavoisier o de su Lyell; sin embargo, en ningún libro pulula tanta afirmación dogmática o arbitraria como en las obras elaboradas por los herederos o epigonos de Comte. Puede llamarse a la Sociología no sólo el arte de dar nombres nuevos a las cosas viejas sino la ciencia de las afirmaciones contradictorias. Si un gran sociólogo enuncia una proposición, estemos seguros que otro sociólogo no menos grande aboga por la diametralmente opuesta. Como algunos pedagogos recuerdan a los preceptores de Scribe, así muchos sociólogos hacen pensar en los médicos de Moliére: Le Bon y Tarde no andan muy lejos de Diafoirus y Purgón.

Citemos la raza como uno de los puntos en que más divergen los autores. Mientras unos miran en ella el principal factor de la dinámica social y resumen la historia en una lucha de razas, otros reducen a tan poco el radio de las acciones étnicas que repiten con Durkheim: *No conocemos ningún fenómeno social que se halle colocado bajo la dependencia incontestable de la raza.* Novicow, sin embargo de juzgar exagerada la opinión de Durkheim, no vacila en afirmar que *la raza, como la especie, es, hasta cierto punto, una categoría subjetiva de nuestro espíritu, sin realidad exterior;* y exclama en un generoso arranque de humanidad: *Todas esas pretendidas incapacidades de los amarillos y los negros son quimeras de espíritus enfermos. Quien se atreva a decir a una raza: aquí llegarás y de aquí no pasarás, es un ciego y un insensato.*

¡Cómoda invención la Etnología en manos de algunos hombres! Admitida la división de la Humanidad en razas superiores y razas inferiores, reconocida la superioridad de los blancos y por consiguiente su derecho a monopolizar el gobierno del Planeta, nada más natural que la supresión del negro en Africa, del piel roja en Estados Unidos, del tágalo en Filipinas, del indio en el Perú. Como en la selección o eliminación de los débiles e inadaptables se realiza la suprema ley de la vida, los eliminadores o supresores violentos no hacen más que acelerar la obra lenta y perezosa de la Naturaleza: abandonan la marcha de la tortuga por el galope del caballo. Muchos no lo escriben, pero lo dejan leer entre líneas, como Pearson cuando se refiere a *la solidaridad entre los hombres civilizados de la raza europea frente a la Naturaleza y la barbarie humana.* Donde se lee barbarie humana tradúzcase *hombre sin pellejo blanco.*

Mas, no sólo se decreta ya la supresión de negros y amarillos: en la misma raza blanca se opera clasificaciones de pueblos destinados a engrandecerse y vivir y pueblos condenados a degenerar y morir. Desde que Demolins publicó su libro *A quoi tient la superiorité des Anglo-Saxons,* (1) ha recrudecido la moda de ensalzar a los anglosajones y deprimir a los latinos. (Aunque algunos latinos pueden llamarse tales, como Atahualpa gallego y Montezuma provenzal). En Europa y América asistimos a la florescencia de muchas Casandras que viven profetizando el incendio y desaparición de la nueva Troya. Algunos pesimistas, creyéndose los Deucaliones del próximo diluvio y hasta los superhombres de Nietzsche, juzgan la desaparición de su propia raza como si se tratara de seres prehistóricos o de la Luna. No se ha formulado pero se sigue un axioma: crímenes y vicios de ingleses o norteamericanos son cosas inherentes a la especie humana y no denuncian la decadencia de un pueblo; en cambio, crímenes y vicios de franceses o italianos son anomalías y acusan degeneración de raza. Felizmente Oscar Wilde y el general Mac Donald no nacieron en París ni la mesa redonda del Emperador Guillermo tuvo sus sesiones en Roma.

Nos parece inútil decir que no tomamos en serio a los *dilettanti* (2) como Paul Bourget ni a los *fumiste* como Maurice Barrés, cuando fulminan rayos sobre el cosmopolitismo y lloran la decadencia de la *noble raza francesa*, porque la hija de un conde sifilítico y de una marquesa pulmoníaca se deja seducir por un mocetón sano y vigoroso pero sin cuarteles de nobleza. Respecto a Monsieur Gustave Le

---

(1) Don Víctor Arreguine le ha contestado con el libro *En qué consiste la superioridad de los Latinos sobre los Anglo-sajones* (Buenos Aires, 1900). Según Arreguine, la larga obra del señor Demolins, ampliación de un capítulo de Taine sobre la educación inglesa, en lo que tiene ella de bueno, antes que obra de imparcial serenidad, es un alegato anglómano con acentuado sabor a conferencia pedagógica, no obstante lo cual ha turbado a muchos cerebros latinos con lo que llamaremos mareo de la novedad.

(2) *Dilettanti*: quien practica un arte como aficionado; por extensión se dice de quien no pone seriedad en lo que hace. *Fumiste*: mistificador, embromador. (Nota de la edición).

Bon, le debemos admirar por su vastísimo saber y su gran elevación moral, aunque representa la exageración de Spencer, como Max Nordau la de Lombroso y Haeckel la de Darwin. Merece llamarse el Bossuet de la Sociología, por no decir el Torquemada ni el Herodes. Si no se hiciera digno de consideración por sus observaciones sobre la luz negra, diríamos que es a la Sociología como el doctor Sangredo es a la Medicina.

Le Bon nos avisa que *de ningún modo toma el término de raza en el sentido antropológico, porque, desde hace mucho tiempo, las razas puras han desaparecido casi salvo en los pueblos salvajes*, y para que tengamos un camino seguro por donde marchar, decide: *En los pueblos civilizados, no hay más que razas históricas, es decir, creadas del todo por los acontecimientos de la Historia.* Según el dogmatismo leboniano, las naciones hispanoamericanas constituyen ya una de esas razas, pero una raza tan singular que ha pasado vertiginosamente de la niñez a la decrepitud, salvando en menos de un siglo la trayectoria recorrida por otros pueblos en tres, cuatro, cinco y hasta seis mil años. *Las 22 repúblicas latinas de América (3) dice en su PSYCHOLOGIE DU SOCIALISME, aunque situadas en las comarcas más ricas del Globo, son incapaces de aprovechar sus inmensos recursos... El destino final de esta mitad de América es regresar a la barbarie primitiva, a menos que los Estados Unidos les presten el inmen-*

(3) ¿De dónde saca el autor esas 22 repúblicas? No hay aqui un error tipográfico porque en una nota de la página 40 escribe: *il faut ignorer d'une facon bien completé l'histoire de Saint-Domingue, d'Haiti, celle des vingt-deux républiques hispano-américaines et celle des Etats-Unis*

so servicio de conquistarla... Hacer bajar las más ricas comarcas del Globo al nivel de las repúblicas negras de Santo Domingo y Haití: he ahí lo que la raza latina ha realizado en menos de un siglo con la mitad de América.

A Le Bon le podrían argüir que toma la erupción cutánea de un niño por la gangrena senil de un nonagenario, la hebefrenia de un mozo por la locura homicida de un viejo. ¿Desde cuándo las revoluciones anuncian decrepitud y muerte? Ninguna de las naciones hispanoamericanas ofrece hoy la miseria política y social que reinaba en la Europa del feudalismo; pero a la época feudal se la considera como una etapa de la evolución, en tanto que a la era de las revoluciones hispanoamericanas se la mira como un estado irremediable y definitivo. También le podríamos argüir colocando a Le Bon el optimista frente a Le Bon el pesimista, como quien dice a San Agustín el obispo contra San Agustín el pagano. *Es posible,* afirma Le Bon, *que tras una serie de calamidades profundas, de transtornos casi nunca vistos en la Historia,* los pueblos latinos aleccionados por la experiencia... *tienten la ruda empresa de adquirir las cualidades que les falta para de ahí adelante lograr buen éxito en la vida... Los apóstoles pueden mucho porque logran transformar la opinión, y la opinión es hoy reina... La Historia se halla tan llena de imprevistos, el mundo anda en camino de sufrir modificaciones tan profundas, que es imposible prever hoy el destino de los imperios.* Si no cabe prever la suerte de las naciones ¿cómo anuncia la muerte de las repúblicas hispanoamericanas? ¿Lo que pueden realizar en Europa los imperios latinos, no podrán tentarlo en el Nuevo Mundo, las naciones de igual origen? O ¿habrá dos leyes sociológicas, una para los *latinos* de América y otra para los *latinos* de Europa? Quizá; pero, felizmente las afirmaciones de Le Bon se parecen a los clavos, las unas sacan a las otras (4).

Se ve, pues, que si Augusto Comte pensó hacer de la Sociología una ciencia eminentemente positiva, algunos de sus herederos la van convirtiendo en un cúmulo de divagaciones sin fundamento científico.

II

En *La Lucha de Razas*, Luis Gumplowicz dice: *Todo elemento étnico esencial potente busca para hacer servir a sus fines todo elemento débil que se encuentra en su radio de potencia o que penetra en él. (5)* Primero los Conquistadores, en seguida sus descendientes, formaron en los países de América un elemento étnico bastante poderoso para subyugar y explotar a los indígenas. Aunque se tache de exageradas las afirmaciones de Las Casas, no puede negarse que merced a la avarienta crueldad de los explotadores, en algunos pueblos americanos el elemento débil se halla próximo a extinguirse. Las hormigas que domestican pulgones para ordeñarles, no imitan la imprevisión del blanco, no destruyen a su animal productivo.

A la fórmula de Gumplowicz conviene agregar una ley que influye mucho en nuestro modo de ser: cuando un individuo se eleva sobre el nivel de su

(4) Acaba de afirmar que *los apóstoles pueden mucho porque logran transformar la opinión*, etc. En las páginas 451 y 452 expresa lo contrario: *Nos pensées*, etc.

(5) Tradución anónima de la *España Moderna*, Madrid.

clase social, suele convertirse en el peor enemigo de ella. Durante la esclavitud del negro, no hubo caporales más feroces que los mismos negros; actualmente, no hay quizá opresores tan duros del indígena como los mismos indígenas españolizados e investidos de alguna autoridad.

El verdadero tirano de la masa, el que se vale de unos indios para esquilmar y oprimir a los otros es el encastado, comprendiéndose en esta palabra tanto al cholo de la sierra o mestizo como al mulato y al zambo de la costa. En el Perú vemos una superposición étnica: excluyendo a los europeos y al cortísimo número de blancos nacionales o criollos, la población se divide en dos fracciones muy desiguales por la cantidad, los *encastados* o dominadores y los indígenas o dominados. Cien a doscientos mil individuos se han sobrepuesto a tres millones.

Existe una alianza ofensiva y defensiva, un cambio de servicio entre los dominadores de la capital y los de provincia: si el gamonal de la sierra sirve de agente político al señorón de Lima, el señorón de Lima defiende al gamonal de la sierra cuando abusa bárbaramente del indio. Pocos grupos sociales han cometido tantas iniquidades ni aparecen con rasgos tan negros como los españoles y encastados en el Perú. Las revoluciones, los despilfarros y las bancarrotas parecen nada ante la codicia glacial de los encastados para sacar el jugo a la carne humana. Muy poco les ha importado el dolor y la muerte de sus semejantes, cuando ese dolor y esa muerte les ha rendido unos cuantos soles de ganancia. Ellos diezmaron al indio con los repartimientos y las mitas; ellos importaron al negro para hacerle gemir bajo el látigo de los caporales; ellos devoraron al chino, dándole un puñado de arroz por diez y hasta quince horas de trabajo; ellos extrajeron de sus islas al canaca para dejarle morir de nostalgia en los galpones de las haciendas; ellos pretenden introducir hoy al japonés... (6) El negro parece que disminuye, el chino va desapareciendo, el canaca no ha dejado huella, el japonés no da señales de prestarse a la servidumbre; mas queda el indio, pues trescientos a cuatrocientos años de crueldades no han logrado exterminarle *¡el infame se encapricha en vivir!*

Los Virreyes del Perú no cesaron de condenar los atropellos ni ahorraron diligencias para lograr la conservación, buen tratamiento y alivio de los Indios, los Reyes de España, cediendo a la conmiseración de su nobles y católicas almas, concibieron medidas humanitarias o secundaron las iniciadas por los Virreyes. Sobraron los buenos propósitos en las Reales Cédulas. Ignoramos si las Leyes de Indias forman una pirámide tan elevada como el Chimborazo; pero sabemos que el mal continuaba lo mismo, aunque algunas veces hubo castigos ejemplares. Y no podía suceder de otro modo: oficialmente se ordenaba la explotación del vencido y se pedía humanidad y justicia a los ejecutores de la explotación; se pretendía que humanamente se cometiera iniquidades o equitativamente se consumara injusticias. Para extirpar los abusos, habría sido necesario abolir los repartimientos y las mitas, en dos palabras, cambiar todo el régimen colonial. Sin las

(6) Cuando en el Perú se habla de inmigración, no se trata de procurarse hombres libres que por su cuenta propia labren el suelo y al cabo de algunos años se conviertan en pequeños propietarios: se quieren introducir parias que enagenen su libertad y por el mínimo de jornal proporcionen el máximum de trabajo.

faenas del indio americano, se habrían vaciado las arcas del tesoro español. Los caudales enviados de las colonias a la Metrópoli no eran más que sangre y lágrimas convertidas en oro.

La República sigue las tradiciones del Virreynato. Los presidentes en sus mensajes abogan por la redención de los oprimidos y se llaman *protectores de la raza indígena*, los congresos elaboran leyes que dejan atrás a la *Declaración de los derechos del hombre*; los ministros de Gobierno expiden decretos, pasan notas a los prefectos y nombran delegaciones investigadoras, todo *con el noble propósito de asegurar las garantías de la clase desheredada* pero mensajes, leyes, decretos, notas y delegaciones se reducen a jeremiadas hipócritas, a palabras sin eco, a expedientes manoseados. Las autoridades que desde Lima imparten órdenes conminatorias a los departamentos, saben que no serán obedecidas; los prefectos que reciben las conminaciones de la Capital saben también que ningún mal les resulta de no cumplirlas. Lo que el año 1648 decía en su Memoria el Marqués de Mancera, debe repetirse hoy, leyendo *gobernadores y hacendados* en lugar de *corregidores y caciques*: *Tienen por enemigos estos Indios la codicia de sus Corregidores, de sus Curas y de sus Caciques, todos atentos a enriquecer de su sudor; era menester el celo y autoridad de un Virrey para cada uno; en fe de la distancia se trampea la obediencia, y ni hay fuerza ni perseverancia para proponer segunda vez la queja.* (7) El trampear la obediencia vale mucho en boca de un virrey;

---

(7) Memorias de los Virreyes del Perú, Marqués de Mancera y Conde de Salvatierra, publicadas por José Toribio Polo, Lima, 1899.

pero vale más la declaración escapada a los defensores de los indígenas de Chucuito. (8)

No faltan indiófilos que en sus iniciativas individuales o colectivas proceden como los Gobiernos en su acción oficial. Las agrupaciones formadas para libertar a la raza irredenta no han pasado de contrabandos políticos abrigados con bandera filantrópica. Defendiendo al Indio se ha explotado la conmiseración, como invocando a Tacna y Arica se negocia hoy con el patriotismo. Para que los redentores procedieran de buena fe, se necesitaría que de la noche a la mañana sufrieran una transformación moral, que se arrepintieran al medir el horror de sus iniquidades, que formaran el inviolable propósito de obedecer a la justicia, que de tigres se quisieran volver hombres. ¿Cabe en lo posible?

Entre tanto, y por regla general, los *dominadores* se acercan al indio para engañarle, oprimirle o corromperle. Y debemos rememorar que no sólo el *encastado* nacional procede con inhumanidad o mala fe: cuando los europeos se hacen rescatadores de lana, mineros o hacendados, se muestran buenos exactores y magníficos torsionarios, rivalizan con los antiguos encomenderos y los actuales hacendados. El animal de pellejo blanco, nazca donde naciere, vive aquejado por el mal del oro: al fin y al cabo cede al instinto de rapacidad.

III

Bajo la República ¿sufre menos el indio que baja lo dominación española? Si no existen corregi-

---

(8) La Raza Indígena del Perú en los albores del siglo XX. (página VI, segundo folleto). Lima, 1903.

mientos ni encomiendas, quedan los trabajos forzosos y el reclutamiento. Lo que le hacemos sufrir basta para descargar sobre nosotros la execración de las personas humanas. Le conservamos en la ignorancia y la servidumbre, le envilecemos en el cuartel, le embrutecemos con el alcohol, le lanzamos a destrozarse en las guerras civiles y de tiempo en tiempo organizamos cacerías y matanzas como las de Amantani, Ilave y Huanta (9).

No se escribe pero se observa el axioma de que el indio no tiene derechos sino obligaciones. Tratándose de él, la queja personal se toma por insubordinación, el reclamo colectivo por conato de sublevación. Los realistas españoles mataban al indio cuando pretendia sacudir el yugo de los conquistadores, nosotros los republicanos nacionales le exterminamos cuando protesta de las contribuciones onerosas, o se cansa de soportar en silencio las iniquidades de algún sátrapa.

Nuestra forma de gobierno se reduce a una gran mentira, porque no merece llamarse república democrática un estado en que dos o tres millones de

---

(9) Una persona verídica y bien informada nos proporciona los siguientes datos: "*Masacre de Amantani.* Apenas inaugurada la primera dictadura de Piérola, los indios de Amantani, isla del Titicaca, lincharon a un gamonal que había cometido la imprudencia de obligarles a hacer ejercicios militares. La respuesta fue el envío de Puno de dos buques armados en guerra, que bombardearon ferozmente la isla, de las 6 de la mañana a las 6 de la tarde. La matanza fue horrible, sin que hasta ahora se sepa el número de indios que ese día perecieron, sin distinción de edad ni sexo. Sólo se ven esqueletos que aún blanquean metidos de medio cuerpo en las grietas de los peñascos, en actitud de refugiarse".

Ilave y Huanta se consumaron en la segunda administración de Piérola.

individuos viven fuera de la ley. Si en la costa se divisa un vislumbre de garantías bajo un remedo de república, en el interior se palpa la violación de todo derecho bajo un verdadero régimen feudal. Ahi no rigen Códigos ni imperan tribunales de justicia, porque hacendados y *gamonales* dirimen toda cuestión arrogándose los papeles de jueces y ejecutores de las sentencias. Las autoridades políticas, lejos de apoyar a débiles y pobres, ayudan casi siempre a ricos y fuertes. Hay regiones donde jueces de paz y gobernadores pertenecen a la servidumbre de la hacienda. ¿Qué gobernador, qué subprefecto ni qué prefecto osaría colocarse frente a frente de un hacendado?

Una hacienda se forma por la acumulación de pequeños lotes arrebatados a sus legítimos dueños, un patrón ejerce sobre sus peones la autoridad de un barón normando. No sólo influye en el nombramiento de gobernadores, alcaldes y jueces de paz, sino hace matrimonios, designa herederos, reparte las herencias, y para que los hijos satisfagan las deudas del padre, les somete a una servidumbre que suele durar toda la vida. Impone castigos tremendos como la *corma*, la flagelación, el cepo de campaña y la muerte; risibles, como el rapado del cabello y las enemas de agua fría. Quien no respeta vidas ni propiedades realizaría un milagro si guardara miramientos a la honra de las mujeres: toda india, soltera o casada, puede servir de blanco a los deseos brutales del *señor*. Un rapto, una violación y un estrupro no significan mucho cuando se piensa que a las indias se las debe poseer de viva fuerza. Y a pesar de todo, el indio no habla con el patrón sin arrodillarse ni besarle la mano. No se diga que por ignorancia o falta de cultura los señores territoriales proceden así: los hijos de algunos hacendados van niños a Europa, se educan en Francia o Inglaterra y vuelven al Perú con todas las apariencias de gentes civilizadas; mas apenas se confinan en sus haciendas, pierden el barniz europeo y proceden con más inhumanidad y violencia que su padres: con el sombrero, el poncho y las *roncadoras*, reaparece la fiera. En resumen: las haciendas constituyen reinos en el corazón de la República, los hacendados ejercen el papel de autócratas en medio de la democracia.

IV

Para cohonestar la incuria del Gobierno y la inhumanidad de los expoliadores, algunos pesimistas a lo Le Bon marcan en la frente del indio un estigma infamatorio; le acusan de refractario a la civilización. Cualquiera se imaginaria que en todas nuestras poblaciones se levantan espléndidas escuelas, donde bullen eximios profesores muy bien rentados y que las aulas permanecen vacías porque los niños, obedeciendo las órdenes de sus padres, no acuden a recibir educación. Se imaginaría también que los indígenas no siguen los moralizadores ejemplos de las clases dirigentes o crucifican sin el menor escrúpulo a todos los predicadores de ideas levantadas y generosas. El indio recibió lo que le dieron: fanatismo y aguardiente.

Veamos ¿qué se entiende por civilización? sobre la industria y el arte, sobre la erudición y la ciencia, brilla la moral como punto luminoso en el vértice de una gran pirámide. No la moral teológica fundada en una sanción póstuma, sino la moral humana que no busca sanción ni la buscaría lejos de la Tierra. El sumum de la moralidad, tanto para los individuos como para las sociedades, consiste en haber transformado la lucha de hombres contra hombres en el acuerdo mutuo para la vida. Donde no hay justicia, misericordia ni benevolencia, no hay civilización; donde se proclama ley social la *struggle for life*, reina la barbarie. ¿Qué vale adquirir el saber de un Aristóteles cuando se guarda el corazón de un tigre? ¿Qué importa poseer el don artístico de un Miguel Angel cuando se lleva el alma de un cerdo? Más que pasar por el mundo derramando la luz del arte o de la ciencia, vale ir destilando la miel de la bondad. Sociedades altamente civilizadas merecerían llamarse aquellas donde practicar el bien ha pasado de obligación a costumbre donde el acto bondadoso se ha convertido en arranque instintivo. Los dominadores del Perú ¿han adquirido ese grado de moralización? ¿Tienen derecho de considerar al indio como un sér incapaz de civilizarse?

La organización política y social del antiguo imperio incaico admira hoy a reformadores y revolucionarios europeos. Verdad, Atahualpa no sabía el padrenuestro ni Calcuchima pensaba en el misterio de la Trinidad; pero el culto del Sol era quizá menos absurdo que la Religión católica, y el gran Sacerdote de Pachacamac no vencía tal vez en ferocidad al padre Valverde. Si el súbdito de Huaina-Cápac admitía la civilización, no encontramos motivo para que el indio de la República la rechace, salvo que toda la raza hubiera sufrido una irremediable decadencia fisiológica. Moralmente hablando, el indígena de la República se muestra inferior al indígena hallado por los conquistadores; mas depresión moral a causa de servidumbre política no equivale a imposibilidad absoluta para civilizarse por constitución orgánica. En todo caso ¿sobre quién gravitaría la culpa?

Los hechos desmienten a los pesimistas. Siempre que el indio se instruye en colegios o se educa por el simple roce con personas civilizadas, adquiere el mismo grado de moral y cultura que el descendiente del español. A cada momento nos rozamos con amarillos que visten, comen, viven y piensan como los *melifluos caballeros* de Lima. Indios vemos en Cámaras, municipios, magistratura, universidades y ateneos, donde se manifiestan ni más venales ni más ignorantes que los de otras razas. Imposible deslindar responsabilidades en el *totum revolutis* de la política nacional para decir qué mal ocasionaron los mestizos, los mulatos y los blancos. Hay tal promiscuidad de sangres y colores, representa cada individuo tantas mezclas lícitas o ilícitas, que en presencia de muchísimos peruanos quedaríamos perplejos para determinar la dosis de negro y amarillo que encierran en sus organismos: nadie merece el calificativo de blanco puro, aunque lleve azules los ojos y rubio el cabello. Sólo debemos recordar que el mandatario con mayor amplitud de miras perteneció a la raza indígena, se llamaba Santa Cruz. Lo fueron cien más, ya valientes hasta el heroísmo como Cahuide; ya fieles hasta el martirio como Olaya.

Tiene razón Novicow al afirmar que *las pretendidas incapaciadades de los amarillos y los negros son quimeras de espíritus enfermos.* Efectivamente, no hay acción generosa que no pueda ser realizada por algún negro ni por algún amarillo, como no hay acto infame que no pueda ser cometido por algún blanco. Durante la invasión de China en 1900, los amarillos del Japón dieron lecciones de humanidad a los blancos de Rusia y Alemania. No recordamos si los negros de Africa las dieron alguna vez a los boers de Transvaal o a los ingleses del Cabo: sabemos sí que el anglosajón Kitchener se muestra tan feroz en el Sudán como Behanzin en el Dahomey. Si en vez de comparar una muchedumbre de piel blanca con otras muchedumbres de piel oscura, comparamos un individuo con otro individuo, veremos que en medio de la civilización blanca abundan cafres y pieles rojas por dentro. Como flores de raza u hombres representativos, nombremos al Rey de Inglaterra y al Emperador de Alemania: Eduardo VII y Guillermo II ¿merecen compararse con el indio Benito Juárez y con el negro Booker Washington? Los que antes de ocupar un trono vivieron en la taberna, el garito y la mancebía, los que desde la cima de un imperio ordenan la matanza sin perdonar a niños, ancianos ni mujeres, llevan lo blanco en la piel mas esconden lo negro en el alma.

¿De sólo la ignorancia depende el abatimiento de la raza indígena? Cierto, la ignorancia nacional parece una fábula cuando se piensa que en muchos pueblos del interior no existe un solo hombre capaz de leer ni de escribir, que durante la guerra del Pacífico los indígenas miraban la lucha de las dos naciones como una contienda civil entre el general Chile y el general Perú, que no hace mucho los emisarios de Chucuito se dirigieron a Tacna figurándose encontrar ahí al Presidente de la República.

Algunos pedagogos (rivalizando con los vendedores de panaceas) se imaginan que sabiendo un hombre los afluentes del Amazonas y la temperatura media de Berlín, ha recorrido la mitad del camino para resolver todas las cuestiones sociales. Si por un fenómeno sobrehumano los analfabetos nacionales amanecieran mañana, no sólo sabiendo leer y escribir, sino con diplomas universitarios, el problema del indio no habría quedado resuelto: al proletariado de los ignorantes, sucedería el de los bachilleres y doctores. Médicos sin enfermos, abogados sin clientela, ingenieros sin obras, escritores sin público, artistas sin parroquianos, profesores sin discípulos, abundan en las naciones más civilizadas formando el innumerable ejército de cerebros con luz y estómagos sin pan. Donde las haciendas de las costas suman cuatro o cinco mil fanegadas, donde las estancias de sierra miden treinta y hasta cincuenta leguas, la nación tiene que dividirse en señores y siervos.

Si la educación suele convertir al bruto impulsivo en un ser razonable y magnánimo, la instrucción le enseña y le ilumina el sendero que debe seguir para no extraviarse en las encrucijadas de la vida. Mas divisar una senda no equivale a seguirla hasta el fin: se necesita firmeza en la voluntad y vigor en los pies. Se requiere también poseer un ánimo de altivez y rebeldía, no de sumisión y respeto como el soldado y el monje. La instrucción puede mantener al hombre en la bajeza y la servidumbre: instruídos fueron los eunucos y gramáticos de Bizancio. Ocupar en la Tierra el puesto que le corresponde en vez de aceptar el que le designan: pedir y tomar su bocado; reclamar su techo y su pedazo de terruño, es el derecho de todo ser racional.

Nada cambia más pronto ni más radicalmente la psicología del hombre que la propiedad: al sacudir la esclavitud del vientre, crece en cien palmos. Con sólo adquirir algo, el individuo asciende algunos peldaños en la escala social, porque las clases se reducen a grupos clasificados por el monto de la riqueza. A la inversa del globo aerostático, sube más el que más pesa. Al que diga: la *escuela* respóndasele: *la escuela y el pan.*

La cuestión del indio, más que pedagógica, es económica, es social. ¿Cómo resolverla? No hace mucho que un alemán concibió la idea de restaurar el Imperio de los Incas: aprendió el quechua, se introdujo en las indiadas del Cuzco, empezó a granjearse partidarios, y tal vez habría intentado una sublevación, si la muerte no le hubiera sorprendido al regreso de un viaje por Europa. Pero ¿cabe hoy semejante restauración? Al intentarla, al querer realizarla, no se obtendría más que el empequeñecido remedo de una grandeza pasada.

La condición del indígena puede mejorar de dos maneras: o el corazón de los opresores se conduele al extremo de reconocer el derecho de los oprimidos, o el ánimo de los oprimidos adquiere la virilidad suficiente para escarmentar a los opresores. Si el indio aprovechara en rifles y cápsulas todo el dinero que desperdicia en alcohol y fiestas, si en un rincón de su choza o en el agujero de una peña escondiera un arma, cambiaría de condición, haría respetar su propiedad y su vida. A la violencia respondería con la violencia, escarmentando al patrón que le arrebata las lanas, al soldado que le recluta en nombre del Gobierno, al montonero que le roba ganado y bestias de carga.

Al indio no se le predique humildad y resignación sino orgullo y rebeldía. ¿Qué ha ganado con trescientos o cuatrocientos años de conformidad y paciencia? Mientras menos autoridades sufra, de mayores daños se liberta. Hay un hecho revelador: reina mayor bienestar en las comarcas más distantes de la grandes haciendas, se disfruta de más orden y tranquilidad en los pueblos menos frecuentados por las autoridades.

En resumen: el indio se redimirá merced a su esfuerzo propio, no por la humanización de sus opresores. Todo blanco es, más o menos, un Pizarro, un Valverde o un Areche.

(*) Ensayo escrito en 1904 e incorporado a *Horas de Lucha* en la 2a. edición.

EL PROGRAMA DEL GENERAL *

I

ANTES de la guerra con Chile, asistimos al lanzamiento de una candidatura presidencial. A pesar de los años transcurridos, recordamos los sucesos como si ayer los hubiéramos presenciado. Candidato, uno de nuestros invencibles generales, un domingo; hora, la 3 p.m.; lugar, el teatro.

Penetramos en el edificio, pocos minutos después del General, cuando éste había recorrido ya la población al frente de unos quinientos partidarios, en medio de vivas y cohetes, a son de una banda que atronaba los aires con el *Ataque de Uchumayo.* Fácilmente conseguimos asiento en un palco de segunda fila, entre obreros y estudiantes.

Cierra el escenario un venerable telón rojizo donde se destaca por encima de las nueve musas un Pegaso de alas blanqueadas y cuerpo color isabel. Cintas y banderas se cruzan y se enlazan con tal profusión que los asistentes parecemos abrigados en una selva de lianas multicolores. Como la sala se alumbra únicamente por un amago de luz tamizada por los vidrios terrosos de una farola central, reina una claridad difusa y melancólica, una especie de aurora tísica y anémica. A veces, algunos rayos de sol violan las rendijas de una puerta mal cerrada y van a clavarse en las personas y los objetos, como un manojo de saetas inflamadas. Hombres y cosas ofrecen un aspecto raro y fantasmal en el semicrepúsculo de un día que no es día o en la semioscuridad de una noche que no es noche. Relampaguea la llamarada del fósforo encendido por algún fumador impaciente; a traquidos leves siguen ligeras fulguraciones y tenues bocanadas de humo.

El patio hierve de jóvenes (el General tiene predilección por la juventud) sin que falten algunos viejos; así, los cráneos desnudos en medio de cabezas frondosas, semejan copos de espuma en el oleaje de un mar negro. Los palcos rebosan de estos elegantes y correctísimos señores que entre una venia y un apretón de manos despabilan el reloj o el portamonedas; y también de aquellas amables señoras que envueltas en su manta de Cachemira, acuden sin miedo a los sitios donde los caballeros tímidos y vergonzantes se vuelven emprendedores y atrevidos. La cazuela reúne la flor y nata de la reunión; ahí se aglomera el pueblo entusiasta y generoso, ahí rebullen esos bravos electores que por un sol llevan en hombros a su candidato y por otro sol le descrisman de una pedrada.

Detrás del telón, y como en un mundo lejano, menudean los ruidos de pasos, los arrastramientos de muebles y las voces de: "—Pongan los candeleros! ¡Traigan la poltrona! — ¡No se olviden de la campanilla! — ¡Llenen de agua la botella!", a la vez que en el patio y la cazuela se inician los *moscones*, los tosidos, los pataleos, los bastonazos y los gritos de animales. Por atavismo algunos ladran como perro, maullan como gatos o rebuznan como borricos. Estallan los dicharachos, los diálogos calurosos, las interpelaciones a distancia. Un lechugino de la platea dice a una mozuela que melosamente se abanica en un palco de reja: "—¿Cómo está el Nuncio?" La mozuela responde con una obscenidad, y toda la concurrencia prorrumpe en una carcajada. Un chico llora en los ocultos y diferentes opiniones hacen coro al lloriqueo! "—¡Siéntese encima! — ¡Denle seis azotes! — ¡Que el General le traiga la mamadera!".

Llega el momento en que el número de fumadores se multiplica desvergonzadamente: a una llamarada responden cien llamaradas, a una humareda cien humaredas, de modo que la platea concluye por simular un hervidero de flamerolas, una continua aparición de fuegos fatuos. Un calor glutinoso nos derrite, una atmósfera tabernaria nos asfixia. Excitados por la demora, nerviosos, los más pacíficos sienten que el asiento les empuja, experimentan ganas de moverse, gritar y reñir. Como a los chillidos zoológicos sucedieron las insolencias, así al humo del cigarro y a las respiraciones alcohólicas, siguen todas las suciedades y todos los hedores de la bestia humana, del animal colectivo.

Felizmente, resuenan tres golpes, y el telón sube con lentitud solemne en medio de mil aclamaciones de regocijo.

II

Una larga mesa rectangular, cubierta de paño verde, cierra casi toda la embocadura del proscenio. Dos candelabros de seis luces, una escribanía de plata, una campanilla de metal amarillo, una botella de agua, dos vasos y muchos, muchísimos papeles, rompen la monotonía del trapo verde.

Entre la mesa y el telón de foro se destaca el General, rodeado por unas diez o quince personas.

Es un hombre de más o menos sesenta años, corpulento, gordo, muy blanco y de fisonomía tan opaca e indefinible que al través de las facciones no se lee nada bueno, ni se vislumbra nada malo. Ofrece una peculiaridad: en la cabeza no guarda un solo pelo, mas conserva un par de bigotes largos, espesos y negrísimos; así que los dos bigotes negros en la cabeza blanca parecen dos alas de cuervo prendidas en un saquete de harina.

Muchos aplausos. El General y sus compañeros se sientan. El público enmudece, como tocado por un resorte mágico. La teoria de los oradores empieza el desfile.

Un estudiante de la Universidad (presunto secretario de prefectura) después de discurrir por media hora y comentar la opinión de Lerminier sobre la guerra, preconiza la unión de la toga con la espada y termina asegurando que "el ángel tutela de la Patria había cubierto con sus alas el ancho y noble pecho del General, para que no le hirieran las balas, en previsión de que un día la banda presidencial cruzaría ese ancho y noble pecho".

Un hojalatero (seguro candidato a la suplencia de la senaduría por Lima) se duele del ningún apoyo que los gobiernos prestan a las industrias nacionales, denuncia la ruinosa competencia ocasionada por la introducción de cafeteras y anafes alemanes, y se regocija al pensar que la clase obrera sale al fin de su letargo, lanzándose a la lucha porque está segura de vencer, gracias al amor manifiesto del General hacia los trabajadores. El buen hojalatero ve a lo lejos una espada, convertida en martillo, aplastando las cafeteras y los anafes abarrotados en los almacenes de la República.

Un doctor en leyes (secretario del General y probable Ministro de Gobierno) toma la palabra. A los cuarenticinco minutos de hablar, se interrumpe exclamando: "—Pero, señores, he prometido ser breve y lo cumplo. No seguiré defraudando a este nobilísimo auditorio el placer de oír a nuestro digno candidato. Váis a escuchar, no al acento melífluo de un orador académico: sino la voz ruda y franca del soldado. Sus palabras no vibrarán en nuestros oídos como susurro de abejas ni como suspiro de brisas: tronarán como estampido de cañones, como golpe de espadas en el fragor del combate". Y volviéndose al General: "—Héroe de las cien batallas, el generoso pueblo de Lima está pendiente de vuestros labios: probadle que vencer con el hierro no impide iluminar con la elocuencia".

El General se pone de pie. Concluída la inevitable salva de aplausos, reina un silencio tan profundo que se habría sentido el salto de una pulga. El héroe de las cien batallas, extiende el brazo derecho, abre la boca y permanece mudo, como si una persona invisible le hubiera hipnotizado: no recuerda jota del *discurso-programa,* sin embargo de haberle sabido, merced a un estudio de veinte a veinticinco días. En vano tose, garraspea, se ensancha el cuello postizo y se rasca el parietal izquierdo, tratando de cosechar ideas en donde no se había dado la pena de sembrarlas. Rebusca en levita, chaleco y pantalón a caza del original para leerle ya que no podía recitarle; pero el maldito papel se había quedado en un bolsillo de la ropa casera.

Ya principian las tosecitas, el runrún, los cuchicheos y las risotadas; ya los miembros de la mesa ponen cara de entierro; ya el secretario bebe hiel y suda vinagre, cuando el General tiene un arranque demosténico, ciceroniano, dantonesco:

—En fin, señores, mi programa se reduce a escuelas y *villas* de comunicación, presupuesto y honradez, todo para los amigos y palo para los pícaros. ¡Palo, palo y palo!...

El General (para quien adversario y pícaro eran sinónimos) no logró ceñirse la banda; pero obtuvo un merecido triunfo oratorio y condensó en breves líneas el programa que han seguido —y siguen hoy mismo— los gobiernos del Perú.

(*) De *El Tonel de Diógenes*. Publicada originalmente en *El Imparcial* de Lima, en 1909, esta a manera de crónica satírica está basada en un suceso verídico, según anota el editor de *El Tonel de Diógenes*.

EL INTELECTUAL Y EL OBRERO *

I

SEÑORES:

No sonrían si comenzamos por traducir los versos de un poeta.

"En la tarde de un día cálido, la Naturaleza se adormece a los rayos del Sol, como una mujer extenuada por las caricias de su amante.

"El gañán, bañado de sudor y jadeante, aguijonea los bueyes mas de súbito se detiene para decir a un joven que llega entonando una canción:

"—Dichoso tú! Pasas la vida cantando mientras yo, desde que nace el Sol hasta que se pone, me canso en abrir el surco y sembrar el trigo.

"—¡Cómo te engañas, oh labrador! responde el joven poeta. Los dos trabajamos lo mismo y podemos decirnos hermanos; porque, si tú vas sembrando en la tierra, yo voy sembrando en los corazones. Tan fecunda tu labor como la mía: los granos de trigo alimentan el cuerpo, las canciones del poeta regocijan y nutren el alma".

Esta poesía nos enseña que se hace tanto bien al sembrar trigo en los campos como al derramar ideas en los cerebros, que no hay diferencia de jerarquía entre el pensador que labora con la inteligencia y el obrero que trabaja con las manos, que el hombre de bufete y el hombre de taller, en vez de marchar separados y considerarse enemigos, deben caminar inseparablemente unidos.

Pero ¿existe acaso una labor puramente cerebral y un trabajo exclusivamente manual? Piensan y cavilan: el herrero al forjar una cerradura, el albañil al nivelar una pared, el tipógrafo al hacer una veta; hasta el amasador de barro piensa y cavila. Sólo hay un trabajo ciego y material — el de la máquina; donde funciona el brazo de un hombre, ahí se deja sentir el cerebro. Lo contrario sucede en las faenas llamadas intelectuales: a la fatiga nerviosa del cerebro que imagina o piensa, viene a juntarse el cansancio muscular del organismo que ejecuta. Cansan y agobian: al pintor los pinceles, al escultor el cincel, al músico el instrumento, al escritor la pluma; hasta al orador le cansa y le agobia el uso de la palabra. ¿Qué menos material que la oración y el éxtasis? Pues bien: el místico cede al esfuerzo de hincar las rodillas y poner los brazos en cruz.

Las obras humanas viven por lo que nos roban de fuerza muscular y de energía nerviosa. En algunas líneas férreas, cada durmiente representa la vida de un hombre. Al viajar por ellas, figurémonos que nuestro wagón se desliza por rieles clavados sobre una serie de cadáveres; pero al recorrer museos y bibliotecas, imaginémonos también que atravesamos una especie de cementerio donde cuadros, estatuas y libros encierran no sólo el pensamiento sino la vida de los autores.

Ustedes (nos dirijimos únicamente a los panaderos), ustedes velan amasando la harina, vigilando la fermentación de la masa y templando el calor de los hornos. Al mismo tiempo, muchos que no elaboran pan velan también, aguzando su cerebro, manejando la pluma y luchando con las formidables acometidas del sueño: son los periodistas. Cuando en las primeras horas de la mañana sale de las prensas el diario húmedo y tentador a la vez que surge de los hornos el pan oloroso y provocativo, debemos demandarnos: ¿quién aprovechó más su noche, el diarista o el panadero?

Cierto, el diario contiene la enciclopedia de las muchedumbres, el saber propinado en dosis homeopáticas, la ciencia con el sencillo ropaje de la vulgarización, el libro de los que no tienen biblioteca, la lectura de los que apenas saben o quieren leer. Y ¿el pan? símbolo de la nutrición o de la vida, no es la felicidad, pero no hay felicidad sin él. Cuando falta en el hogar, produce la noche y la discordia; cuando viene, trae la luz y la tranquilidad: el niño le recibe con gritos de júbilo, el viejo con una sonrisa de satisfacción. El vegetariano que abomina de la carne infecta y criminal, le bendice como un alimento sano y reparador. El millonario que desterró de su mesa el agua pura y cristalina no ha podido sustituirle. Soberanamente se impone en la morada de un Rothschild y en el tugurio de un mendigo. En los lejanos tiempos de la fábula, las reinas cocían el pan y le daban de viático a los peregrinos hambrientos; hoy le amasan los plebeyos y como signo de hospitalidad, le ofrecen en Rusia a los zares que visitan una población. Nicolás II y toda su progenie de tiranos dicen cómo al ofrecimiento se responde con el látigo, el sable y la bala.

Si el periodista blasonara de realizar un trabajo más fecundo, nosotros le contestaríamos: sin el vientre no funciona la cabeza; hay ojos que no leen, no hay estómagos que no coman.

II

Cuando preconizamos la unión o alianza de la inteligencia con el trabajo no pretendemos que a título de una jerarquía ilusoria, el intelectual se erija en tutor o lazarillo del obrero. A la idea que el cerebro ejerce función más noble que el músculo, debemos el régimen de las castas: desde los grandes imperios de Oriente, figuran hombres que se arrogan el derecho de pensar, reservando para las muchedumbres la obligación de creer y trabajar.

Los intelectuales sirven de luz; pero no deben hacer de lazarillos, sobre todo en las tremendas crisis sociales donde el brazo ejecuta lo pensado por la cabeza. Verdad, el soplo de rebeldía que remueve hoy a las multitudes, viene de pensadores o solitarios. Así vino siempre. La justicia nace de la sabiduría, que el ignorante no conoce el derecho propio ni el ajeno y cree que en la fuerza se resume toda la ley del Universo. Animada por esa creencia, la Humanidad suele tener la resignación del bruto: sufre y calla. Mas de repente, resuena el eco de una gran palabra, y todos los resignados acuden al verbo salvador, como los insectos van al rayo de Sol que penetra en la oscuridad del bosque.

El mayor inconveniente de los pensadores: figurarse que ellos solos poseen el acierto y que el mundo ha de caminar por donde ellos quieran y hasta donde ellos ordenen. Las revoluciones vienen de arriba y se operan desde abajo. Iluminados por la luz de la superficie, los oprimidos del fondo ven la justicia y se lanzan a conquistarla, sin detenerse en los medios ni arredrarse con los resultados. Mientras los moderados y los teóricos se imaginan evoluciones geométricas o se enredan en menudencias y detalles de forma, la multitud simplifica las cuestiones, las baja de las alturas nebulosas y las confina en el terreno práctico. Sigue el ejemplo de Alejandro: no desata el nudo, le corta de un sablazo.

¿Qué persigue un revolucionario? influir en las multitudes, sacudirlas, despertarlas y arrojarlas a la acción. Pero sucede que el pueblo, sacado una vez de su reposo, no se contenta con obedecer el movimiento inicial, sino que pone en juego sus fuerzas latentes, marcha y sigue marchando hasta ir más allá de lo que pensaron y quisieron sus impulsores. Los que se figuraron mover una masa inerte, se hallan con un organismo exuberante de vigor y de iniciativas; se ven con otros cerebros que desean irradiar su luz, con otras voluntades que quieren imponer su ley. De ahí un fenómeno muy general en la Historia: los hombres que al iniciarse una revolución parecen audaces y avanzados, pecan de tímidos y retrógrados en el fragor de la lucha o en las horas del triunfo. Así, Lutero retrocede acobardado al ver que su doctrina produce el levantamiento de los campesinos alemanes; así, los revolucionarios franceses se guillotinan unos a otros porque los unos avanzan y los otros quieren no seguir adelante ó retrogradar. Casi todos los revolucionarios y reformadores se parecen a los niños: tiemblan con la aparición del ogro que ellos solos evocaron a fuerza de chillidos. Se ha dicho que la Humanidad, al ponerse en marcha, comienza por degollar a sus conductores; no comienza por el sacrificio pero suele acabar con el ajusticiamiento, pues el amigo se vuelve enemigo, el propulsor se transforma en rémora.

Toda revolución arribada tiende a convertirse en gobierno de fuerza, todo revolucionario triunfante degenera en conservador. ¿Qué idea no se degrada en la aplicación? ¿Qué reformador no se desprestigia en el poder? Los hombres (señaladamente los políticos) no dan lo que prometen, ni la realidad de los hechos corresponden a la ilusión de los desheredados. El descrédito de una revolución empieza el mismo día de su triunfo; y los deshonradores son sus propios caudillos.

Dado una vez el impulso, los verdaderos revolucionarios deberían seguirle en todas sus evoluciones. Pero modificarse con los acontecimientos, expeler las convicciones vetustas y asimilarse las nuevas, repugnó siempre al espíritu del hombre, a su presunción de creerse emisario del porvenir y revelador de la verdad definitiva. Envejecemos sin sentirlo, nos quedamos atrás sin notarlo, figurándonos que siempre somos jóvenes y anunciadores de lo nuevo, no resignándonos a confesar que el venido después de nosotros abarca más horizonte por haber dado un paso más en la ascensión de la montaña. Casi todos vivimos girando alrededor de féretros que tomamos por cunas o morimos de gusanos, sin labrar un capullo ni transformarnos en mariposa. Nos parecemos a los marineros que en medio del Atlántico decían a Colón: *No proseguiremos el viaje porque nada existe más allá.* Sin embargo, más allá estaba la América.

Pero, al hablar de intelectuales y de obreros, nos hemos deslizado a tratar de revolución. ¿Qué de raro? Discurrimos a la sombra de una bandera que tremola entre el fuego de las barricadas, nos vemos rodeados por hombres que tarde o temprano lanzarán el grito de las reivindicaciones sociales, hablamos el 1º de Mayo, el día que ha merecido llamarse la pascua de los revolucionarios. La celebración de esta pascua, no sólo aquí sino en todo el mundo civilizado, nos revela que la Humanidad cesa de agitarse por cuestiones secundarias y pide cambios radicales. Nadie espera ya que de un parlamento nazca la felicidad de los desgraciados ni que de un gobierno llueva el maná para satisfacer el hambre de todos los vientres. La oficina parlamentaria elabora leyes de excepción y establece gabelas que gravan más al que posee menos: la máquina gubernamental no funciona en beneficio de las naciones, sino en provecho de las banderías dominantes.

Reconocida la insuficiencia de la política para realizar el bien mayor del individuo, las controversias y luchas sobre formas de gobierno y gobernantes quedan relegadas a segundo término, mejor dicho, desaparecen. Subsiste la *cuestión social,* la magna cuestión que los proletarios resolverán por el único medio eficaz: la revolución. No esa revolución local que derriba presidentes o zares y convierte una república en monarquía o una autocracia en gobierno representativo; sino la revolución mundial, la que borra fronteras, suprime nacionalidades y llama la Humanidad a la posesión y beneficio de la tierra.

III

Si antes de concluir fuera necesario resumir en dos palabras todo el jugo de nuestro pensamiento, si debiéramos elegir una enseña luminosa para guiarnos rectamente en las sinuosidades de la existencia, nosotros diríamos: Seamos justos. Justos con la Humanidad, justos con el pueblo en que vivimos, justos con la familia que formamos y justos con nosotros mismos, contribuyendo a que todos nuestros semejantes cojan y saboreen su parte de felicidad, pero no dejando de perseguir y disfrutar la nuestra.

La justicia consiste en dar a cada hombre lo que legítimamente le corresponde; démonos, pues, a nosotros mismos la parte que nos toca en los bienes de la Tierra. El nacer nos impone la obligación de vivir, y esta obligación nos da el derecho de tomar, no sólo lo necesario, sino lo cómodo y lo agradable. Se compara la vida del hombre con un viaje en el mar. Si la Tierra es un buque y nosotros somos pasajeros, hagamos lo posible para viajar en primera clase, teniendo buen aire, buen camarote y buena comida, en vez de resignarnos a quedar en el fondo de la cala donde se respira una atmósfera pestilente, se duerme sobre maderos podridos por la humedad y se consume los desperdicios de bocas afortunadas. ¿Abundan las provisiones? pues todos a comer según su necesidad. ¿Escasean los víveres? pues todos a ración, desde el capitán hasta el ínfimo grumete.

La resignación y el sacrificio, innecesariamente practicados, nos volverían injustos con nosotros mismos. Cierto, por el sacrificio y la abnegación de almas heroicas, la Humanidad va entrando en el camino de la justicia. Más que reyes y conquistadores, merecen vivir en la Historia y en el corazón de la muchedumbre los simples individuos que pospusieron su felicidad a la felicidad de sus semejantes, los que en la arena muerta del egoísmo derramaron las aguas vivas del amor. Si el hombre pudiera convertirse en sobrehumano, lo conseguiría por el sacrificio. Pero el sacrificio tiene que ser voluntario. No puede aceptarse que los poseedores digan a los desposeídos: sacrifíquense y ganen el cielo, en tanto que nosotros nos apoderamos de la Tierra.

Lo que nos toca, debemos tomarlo porque los monopolizadores difícilmente nos los concederán de buena fe y por un arranque espontáneo. Los 4 de Agosto encierran más aparato que realidad: los nobles renuncian a un privilegio, y en seguida reclaman dos; los sacerdotes se despojan hoy del diezmo, y mañana exigen el diezmo y las primicias. Comc símbolo de la propiedad, los antiguos romanos eligieron el objeto más significativo: una lanza. Este símbolo ha de interpretarse así: la posesión de una cosa no se funda en la justicia sino en la fuerza; el poseedor no discute, hiere; el corazón del propietario encierra dos cualidades del hierro: dureza y frialdad. Según los conocedores del idioma hebreo, Caín significa *el primer propietario.* No extrañemos si un socialista del siglo XIX, al mirar en Caín el primer detentador del suelo y el primer fratricida, se valga de esa coincidencia para deducir una pavorosa conclusión: *La propiedad es el asesinato.*

Pues bien: si unos hieren y no razonan ¿qué harán los otros? Desde que no se niega a las naciones el derecho de insurrección para derrocar a sus malos gobiernos, debe concederse a la Humanidad ese mismo derecho para sacudirse de sus inexorables explotadores. Y la concesión es hoy un credo universal: teóricamente, la revolución está consumada porque nadie niega las iniquidades del régimen actual, ni deja de reconocer la necesidad de reformas que mejoren la condición del proletariado (¿No hay hasta un socialismo católico?). Prácticamente, no lo estará sin luchas ni sangre porque los mismos que reconocen la legitimidad de las reivindicaciones sociales, no ceden un palmo en el terreno de sus conveniencias: en la boca llevan palabras de justicia, en el pecho guardan obras de iniquidad.

Sin embargo, muchos no ven o fingen no ver el movimiento que se opera en el fondo de las modernas sociedades. Nada les dice la muerte de las creencias, nada el amenguamiento del amor patrio, nada la solidaridad de los proletarios, sin distinción de razas ni de nacionalidades. Oyen un clamor lejano, y no distinguen que es el grito de los hambrientos lanzados a la conquista del pan; sienten la trepidación del suelo, y no comprenden que es el paso de la revolución en marcha; respiran en atmósfera saturada por hedores del cadáver, y no perciben que ellos y todo el mundo burgués son quienes exhalan el olor a muerto.

Mañana, cuando surjan olas de proletarios que se lancen a embestir contra los muros de la vieja sociedad, los depredadores y los opresores palparán que les llegó la hora de la batalla decisiva y sin cuartel. Apelarán a sus ejércitos pero los soldados contarán en el número de los rebeldes; clamarán al cielo, pero sus dioses permanecerán mudos y sordos. Entonces huirán a fortificarse en castillos y palacios, creyendo que de alguna parte habrá de venirles algún auxilio. Al ver que el auxilio no llega y que el oleaje de cabezas amenazadoras hierve en los cuatro puntos del horizonte, se mirarán a las caras y sintiendo piedad de sí mismos (los que nunca la sintieron de nadie) repetirán con espanto: *¡Es la inundación de los bárbaros!* Mas una voz, formada por el estruendo de innumerables voces, responderá: *No somos la inundación de la barbarie, somos el diluvio de la justicia.*

(*) Discurso leído el 1º de Mayo de 1905 en la Federación de Obreros Panaderos. Incluído en *Horas de Lucha* y *Anarquía.* Trascrito de la 2a. ed. de *Horas de Lucha.*

LA ANARQUIA *

Si a una persona seria le interrogamos que entiende por Anarquía, nos dirá, como absolviendo la pregunta de un catecismo: "Anarquía es la dislocación social, el estado de guerra permanente, el regreso del hombre a la barbarie primitiva". Llamará también al anarquista un enemigo jurado de vida y propiedad ajenas, un energúmeno acometido de fobia universal y destructiva, una especie de felino extraviado en el corazón de las ciudades. Para muchas gentes, el anarquista resume sus ideales en hacer el mal por el gusto de hacerlo.

No solamente las *personas serias* y poco instruídas tienen ese modo infantil de ver las cosas: hombres ilustrados, que en otras materias discurren con lucidez y mesura, desbarran lastimosamente al hablar de anarquismo y anarquistas. Siguen a los santos padres cuando trataban de herejías y herejes. Lombroso y Le Bon recuerdan a Tertuliano y San Jerónimo. El autor de EL HOMBRE CRIMINAL ¿no llegó hasta insinuar que los anarquistas fueran entregados a las muchedumbres, quiere decir, sometidos a la ley de Lynch? Hay pues, sus Torquemadas laicos, tan feroces y terribles como los sacerdotes.

Quienes juzgan la Anarquía por el revólver de

Bresei, el puñal de Caserío y las bombas de Ravachol no se distinguen de los libres pensadores vulgares que valorizan al Cristianismo por las hogueras de la Inquisición y los mosquetazos de la Saint-Barthélemy. Para medir el alcance de los denuestos prodigados a enemigos por enemigos, recordemos a paganos y cristianos de los primeros siglos acusándose recíprocamente de asesinos, incendiarios, concupiscentes, incéstuosos, corruptores de la infancia, unixesuales, enemigos del Imperio, baldón de la especia humana, etc. Cartago historiada por Roma, Atenas por Esparta, sugieren una idea de la Anarquía juzgada por sus adversarios. Lo sugieren también nuestros contemporáneos en sus controversias políticas y religiosas. Si para el radical-socialista, un monárquico representa al reo justiciable, para el monárquico, un radical-socialista merece el patíbulo. Para el anglicano, nadie tan depravado como el romanista; para el romanista, nadie tan digno de abominación como el anglicano. Afimar en discusiones políticas o religiosas que un hombre es un imbécil o un malvado, equivale a decir que ese hombre no piensa como nosotros pensamos.

Anarquía y anarquista encierran lo contrario de lo que pretenden sus detractores. El ideal anárquico se pudiera resumir en dos líneas: la libertad ilimitada y el mayor bienestar posible del individuo, con la abolición del Estado y la propiedad individual. Si ha de censurarse algo al anarquista, censúresele su optimismo y la confianza en la bondad ingénita del hombre. El anarquista, ensanchando la idea cristiana, mira en cada hombre un hermano; pero no un hermano inferior y desvalido a quien otorga caridad, sino un hermano igual a quien debe justicia, protección y defensa. Rechaza la caridad como una falsificación hipócrita de la justicia, como una ironía sangrienta, como el don ínfimo y vejatorio del usurpador al usurpado. No admite soberanía de ninguna especie ni bajo ninguna forma, sin excluir la más absurda de todas: la del pueblo. Niega leyes, religiones y nacionalidades, para reconocer una sola potestad: el individuo. Tan esclavo es el sometido a la voluntad de un rey o de un pontífice, como el enfeudado a la turbamulta de los plebiscitos o a la mayoría de los parlamentos. Autoridad implica abuso, obediencia denuncia abyección; que el hombre verdaderamente emancipado no ambiciona el dominio sobre sus iguales ni acepta más autoridad que la de uno mismo sobre uno mismo.

Sin embargo, esa doctrina de amor y piedad, esa exquisita sublimación de las ideas humanitarias, aparece diseñada en muchos autores como una escuela del mal, como una glorificación del odio y del crimen, hasta como el producto morboso de cerebros desequilibrados. No falta quien halle sinónimos a matoide y anarquista. Pero, ¿sólo contiene insanía, crimen y odio la doctrina profesada por un Reclus, un Kropotkin, un Faure y un Grave?. La anarquía no surgió del proletariado como una explosión de ira y un simple anhelo de reivindicaciones en beneficio de una sola clase: tranquilamente elaborada por hombres nacidos fuera de la masa popular, viene de arriba, sin conceder a sus iniciadores el derecho de constituir una élite con la misión de iluminar y regir a los demás hombres. Naturalezas de selección, árboles de copa muy elevada, produjeron esa fruta de salvación.

No se llame a la Anarquía un empirismo ni una concepción simplista y anticientífica de las sociedades. Ella no rechaza el positivismo comtiano; le acepta, despojándole del Dios-Humanidad y del sacerdocio educativo, es decir, de todo rezago semiteológico y neocatólico. Augusto Comte mejora a Descartes, ensancha a Condillac, fija el rumbo a Claude Bernard y sirve de correctivo anticipado a los Bergson nacidos y por nacer. Si el darwinismo mal interpretado parecía justificar la dominación de los fuertes y el imperialismo despótico, bien comprendido llega a conclusiones humanitarias, recociendo el poderoso influjo del auxilio mutuo, el derecho de los débiles a la existencia y la realidad del individuo en contraposición al vago concepto metafísico de especie. La Ciencia contiene afirmaciones anárquicas y la Humanidad tiende a orientarse en dirección de la Anarquía. Hay épocas en que algunas ideas flotan en el ambiente, hacen parte de la atmósfera y penetran en los organismos más refractarios para recibirlas. Hasta Spencer, hasta el gran apóstol de la evolución antirrevolucionaria y conservadora, tiene ráfagas de anarquismo. Los representantes mismos del saber oficial y universitario suelen emitir ideas tan audaces, que parecen tomadas de un Bakunin o de un Proudhon. Un profesor de la Universidad de Burdeos, Duguit, no vacila en repetir: "Pienso que está en camino de ela-
"borarse una sociedad nueva, de la cual han de
"rechazarse tanto la noción de un derecho perte-
"neciente a la colectividad para mandar en el indi-
"viduo como a la noción de un derecho del indi-
"duo para imponer su personalidad a la colectivi-
"dad y a los demás individuos. Y sí, atendiendo a

"las necesidades de la exposición, personificamos "la colectividad en el Estado, niego lo mismo el "derecho subjetivo del Estado que el derecho sub-"jetivo del individuo". (*Las transformaciones del Estado* traducción a A. Posada).

No quiere decir que nos hallemos en vísperas de establecer una sociedad anárquica. Entre la partida y la llegada median ruinas de imperios, lagos de sangre y montañas de víctimas. Nace un nuevo Cristianismo sin Cristo; pero con sus perseguidores y sus mártires. Y si en veinte siglos no ha podido cristianizarse el mundo, ¿cuántos siglos tardará en anarquizarse? La Anarquía es el punto luminoso y lejano hacia donde nos dirigimos por una intrincada serie de curvas descendentes y ascendentes. Aunque el punto luminoso fuese alejándose a medida que avanzaramos y aunque el establecimiento de una sociedad anárquica se redujera al sueño de un filántropo, nos quedaría la gran satisfacción de haber soñado. ¡Ojalá los hombres tuvieran siempre sueños tan hermosos!

(*) Este artículo y los dos siguientes han sido incluídos en el libro *Anarquía.* Los tres fueron publicados en 1907. Aquí son trascritos de la 4a. edición de *Anarquía*, Lima, 1947.

ANTIPOLITICOS

Felizmente, en medio de la algarabia formada por intereses mezquinos y rastreros se ha lanzado un grito nuevo, un grito salvador que va repercutiendo en las clases trabajadoras: *¡Guerra a la política!*

A más de existir en Lima publicaciones que francamente se llaman antipolíticas, empiezan a tener lugar conferencias o reuniones de índole antipolítica, como por ejemplo, la efectuada en esta ciudad el 19 de mayo. Diez años ha, una reunión semejante no habría sido posible, tanto por falta de oradores como de público: hoy lo es porque en las agrupaciones obreras han surgido personas conscientes que se afanan por llevar luz al cerebro de sus compañeros, y porque los más ignorantes comienzan a presentir que hay algo luminoso fuera del oscuro subterráneo donde vegetan y mueren.

Nada degradó tanto al obrero nacional, nada le sigue envileciendo tanto como la política: ella le divide, le debilita y le reduce a la impotencia, haciéndole desperdiciar en luchas, no sólo vanas, sino contraproducentes, las fuerzas que debería aprovechar en organizarse y robustecerse. ¿Qué han logrado los trabajadores con ir a depositar su voto en el ánfora de una plazuela? Ni elegir al amo, porque toda elección nacional se decide por el fraude o la violencia.

El interés que el político toma por el obrero siempre que estalla un conflicto grave entre el capital y el trabajo, se ve hoy mismo, no muy lejos de nosotros, con los operarios de la Dársena: ¿qué hacen los partidos mientras los huelgistas del Callao luchan por conseguir un aumento de salario o el cumplimiento de obligaciones solemnemente contraídas? Nada; y tiene que suceder así mañana, como sucede hoy, porque una cosa son los intereses de la política y otra cosa los intereses del proletariado. Aunque se predique la igualdad y la confraternidad, el mundo sigue dividido en clases enemigas que viven explotándose y despedazándose. En los pueblos que más blasonan de civilizados, el cristianismo brota de los labios, mas no llega hasta el fondo de los corazones. Todos son *hermanos* pero unos habitan en alcázares y otros duermen al raso; todos son *hermanos*, pero unos se abrigan con buenas ropas de lana y otros se mueren de frío; todos son *hermanos* pero unos comen y otros ayunan. Y ¿a quiénes les toca el papel de víctimas o hermanos desposeídos de esa herencia? a los trabajadores.

Ellos son el derecho; ellos son la justicia; ellos son el número; mas ¿porqué no son el ejército arrollador o la masa de empuje irresistible? Porque viven desunidos; porque frente al bloque homogéneo y compacto de los verdugos y explotadores, forman grupos heterogéneos y fofos, porque se dividen y subdividen en fracciones egoístas y adversas.

Uno de los grandes agitadores del siglo XIX no cesaba de repetir: *Trabajadores del mundo, unios todos*. Lo mismo conviene decir a todas horas y en todas partes, lo mismo repetiremos aquí: *Deshere-*

dados del Perú, uníos todos. Cuando estéis unidos en una gran comunidad y podáis hacer una huelga donde bullan todos —desde el panadero hasta el barredor— ya veréis si habrá guardias civiles y soldados para conteneros y fusilaros.

LA REVOLUCION

La vida y la muerte de las sociedades obedecen a un determinismo tan inflexible como la germinación de una semilla o la cristalización de una sal; de modo que si los sociólogos hubieran llegado a enunciar leyes semejantes a las formuladas por los astrónomos, ya podríamos anunciar las revoluciones como indicamos la fecha de un eclipse o de un plenilunio. Todo sigue la ley; pero en este determinismo universal donde actúan innumerables fuerzas desconocidas, ¿sabemos medir la importancia del factor humano? Si podemos ayudar la germinación e impedir la cristalización, ¿no lograremos influir en el desarrollo de los acontecimientos o fenómenos que se refieren a las colectividades? "Las fuerzas so-"ciales —dice Engels— obran lo mismo que las de la "Naturaleza, ciega, violenta, destructoramente, mientras no las comprendemos ni contamos con ellas". En comprender, o mas bien dicho, en hallar las leyes, reside toda la fuerza del hombre. Lo que en la leyenda cristiana se nombra nuestra caída debe llamarse nuestra ascensión, pues al comer el fruto del árbol de la ciencia nos hicimos (como lo había pronosticado la serpiente) iguales a los Dioses.

La voluntad del hombre puede modificarse ella misma o actuar eficazmente en la producción de los fenómenos sociales, activando la evolución, es decir, efectuando revoluciones. Como por medio del calor artificial evaporamos en pocas horas una masa de agua que necesitaría semanas y hasta meses para secarse a los simples rayos del sol, así logramos que los pueblos hagan en unos cuantos días la obra que debería realizar en muchos años.

En evolución y revolución no veamos dos cosas diametralmente opuestas, como luz y obscuridad o reposo y movimiento, sino una misma línea trazada en la misma dirección; pero tomando unas veces la forma de curva y otras veces la de recta. La revolución podría llamarse una evolución acelerada o al escape, algo así como la marcha en línea recta y con la mayor velocidad posible.

No nos asustemos con la palabra. Hombres que nada tuvieron de anarquistas ni soñaron con transformaciones radicales y violentas de la sociedad, han dicho: "Los pueblos se educan en las revoluciones" (Lamartine); "Siempre hay algo bueno en toda revolución" (Chateaubriand), "Lo malo de las revoluciones pasa; lo bueno queda" (?). Semejantes ideas se hallan tan profundamente arraigadas en el cerebro de las muchedumbres, que hasta las insurreciones de cuartel o los pronunciamientos de caudillos vulgares —por sólo tener visos de revolución— cuentan muchas veces con el aura popular. Fuera de los parásitos que viven a la sombra de un régimen social o político, y fuera también de los rutinarios que en toda purificación de la atmosfera temen un principio de asfixia, las demás gentes miran en las revoluciones un remedio heroico. Se diría que la parte más noble y más generosa de la Humanidad viene al mundo con la intuición de que la Tierra ha de engrandecerse, no por los vaivenes apacibles, sino por las sacudidas violentas. La comparación de las tempestades (que purifican el ambiente) con las revoluciones (que bonifican a un pueblo) carece de novedad, pero no de exactitud.

En todo movimiento popular se sabe donde se empieza, no dónde se acaba: lo que se inicia con la huelga de unos pocos obreros o el alboroto de unas cuantas mujeres, puede terminar con una liquidación política y social. Los mismos que en 1789 comenzaron por atacar la Bastilla no pensaron tal vez que en 1793 concluirían por guillotinar a Luis XVI. De ahí que nada teman tanto los gobiernos como los estallidos de la calle: a los parlamentarios, a los jueces, a los periodistas y a los mismos adversarios se les compra; a una multitud sublevada, no; un pueblo lanzado a la rebelión incendia, roba o mata; pero no se vende. Hoy, más que nunca, no olvidan los opresores cuánto les conviene adormecer al monstruo popular con las añejas canciones de la religión y la moral, porque si las muchedumbres tienen sueños de marmota, conocen despertamientos de león.

Desde la Reforma y, más aún, desde la Revolución Francesa, el mundo civilizado vive en revolución latente: revolución del filósofo contra los absurdos del Dogma, revolución del individuo contra la omnipotencia del Estado, revolución del obrero contra las explotaciones del Capital, revolución de la mujer contra la tiranía del hombre, revolución de uno y otro sexo contra la esclavitud del amor y la cárcel del matrimonio; en fin, de todo contra todos.

En Rusia y Francia contemplamos hoy dos magníficas explosiones de esa gran revolución latente. Nadie asegurará que la lucha del Estado contra la Iglesia no acabe en Francia por la guerra del proletariado con el capitalista, ni que la insurreción del pueblo contra la autocracia del Zar no concluya en Rusia por la rebelión de ese mismo pueblo contra el fanatismo del pope.

LA MUERTE Y LA VIDA *

I

POBRES o ricos, ignorantes o sabios, nacidos en chozas o palacios, al fin tenemos por abrigo la mortaja, por lecho la tierra, por Sol la oscuridad, por únicos amigos los gusanos y la podre. La tumba, ¡digno desenlace del drama!

¿Hay gran dolor en morir, o precede a la última crisis un insensible estado comatoso? La muerte unas veces nos deja morir y otras nos asesina. Algunos presentan indicios de consumirse con suave lentitud, como esencia que se escurre del frasco por imperceptible rajadura; pero otros sucumben desesperadamente, como si les arrancaran la vida, pedazo a pedazo, con tenazas de fuego. En la vejez se capitula, en la juventud se combate. Quién sabe la muerte sea: primero, un gran dolor o un pesado amodorramiento; después, un sueño invencible; en seguida, un frío polar; y por último, algo que se evapora en el cerebro y algo que se marmoliza en el resto del organismo.

No pasa de ilusión poética o recurso teológico, el encarecer la belleza y majestad del cadáver. ¿Quién concibe a Romeo encontrando a Julieta más hermosa de muerta que de viva? Un cadáver infunde alejamiento, repugnancia; estatua sin la pureza del mármol, con todos los horrores y miserias de la carne. Los muertos sólo se muestran grandes en el campo de batalla, donde se ve ojos que amenazan con imponente virilidad, manos de actitud de coger una espada, labios que parecen concluír una interrumpida voz de mando.

El cadáver en descomposición, eso que según Bossuet no tiene nombre en idioma alguno, resume para el vulgo lo más tremendo y espantoso de la muerte. Parece que la póstuma conservación de la forma implicara la supervivencia del dolor. Los hombres se imaginan, no sólo muertos, sino muriendo a pausas, durante largo tiempo. Cuando la tumba se cambie por el horno crematorio, cuando la carne infecta se trasforme en llamas azuladas, y al esqueleto aprisionado en el ataúd suceda el puñado de polvo en la urna cineraria, el fanatismo habrá perdido una de sus más eficaces armas.

¿Existe algo más allá del sepulcro? ¿Conservamos nuestra personalidad o somos absorbidos por el Todo, como una gota por el Océano? ¿Renacemos en la Tierra o vamos a los astros para seguir una serie planetaria y estelaria de nuevas y variadas existencias? Nada sabemos: céntuple muralla de granito separa la vida de la muerte, y hace siglos de siglos que los hombres queremos perforar el muro con la punta de un alfiler. Decir "esto cabe en lo posible, esto no cabe", llega al colmo de la presunción o locura. Filosofía y Religión declaman y anatematizan; pero declamaciones y anatemas nada prueban. ¿Dónde los hechos?

Entonces ¿qué esperanza debemos alimentar al hundirnos en ese abismo que hacía temblar a Turenne y horripilarse a Pascal? Ninguna, para no resultar engañados, o gozar con la sorpresa si hay algo. La Naturaleza, que sabe crear flores para ser comidas por gusanos y planetas para ser destruídos en una explosión, puede crear Humanidades para ser anonadadas por la muerte. ¿A quién acogernos? A nadie. Desmenuzadas todas las creencias tradicionales, subsisten dos magnas cuestiones que todavía no han obtenido una prueba científica ni refutación lógica: la inmortalidad del alma y la existencia de un "Dios distinto y personal, de un Dios ausente del Universo", como decía Hegel. Hasta hoy ¿a qué se reducen Dios y el alma? A dos entidades hipotéticas, imaginadas para explicar el origen de las cosas y las funciones del cerebro.

Si escapamos al naufragio de la tumba, nada nos autoriza para inferir que arribaremos a playas más hospitalarias que la Tierra. Quizá no tengamos derecho de jactarnos con el estoico de "poseer en la muerte un bien que el mundo entero no puede arrebatarnos", porque no sabemos si la puerta del supulcro conduce al salón de un festín o a la caverna de unos bandoleros. Morir es un mal, decía Safo, porque de otro modo, los dioses habrían muerto. Acaso tuvo razón Aquiles cuando entre las sombras del Erebo respondió a Ulises con estas melancólicas palabras: "No intentes consolarme de la muerte; preferiría cultivar la tierra al servicio de un hombre pobre y sin recursos, a reinar entre todas las sombras de los que ya no existen".

En el miedo a la muerte ¿hay un simple ardid de la Naturaleza para encadenarnos a la vida o un presentimiento de venideros infortunios? Al acercarse la hora suprema, todos las células del organismo parece que sintieran el horror de morir y temblaran como soldados al entrar en batalla.

En la Tierra no se realizan esclarecimientos de derechos, sino concursos de fuerzas; en la historia de la Humanidad no se ve apoteosis de justos, sino eliminaciones del débil; pero nosotros aplazamos el desenlace del drama terrestre para darle un fin moral: hacemos una *berquinada* (1). Aplicando a la Naturaleza el sistema de compensaciones, extendiendo a todo lo creado, nuestra concepción puramente humana de la justicia, imaginamos que si la Naturaleza nos prodiga hoy males, nos reserva para mañana bienes: abrimos con ella una *cuenta corriente,* pensamos tener un *debe* y un *haber.* Toda doctrina de penas y recompensas se funda en la aplicación de la Teneduría de Libros a la Moral.

La Naturaleza no aparece injusta ni justa, sino creadora. No da señales de conocer la sensibilidad humana, el odio ni el amor: infinito vaso de concepción, divinidad en interminable alumbramiento, madre toda seno y nada corazón, crea y crea para destruír y volver a crear y volver a destruír. En un soplo desbarata la obra de mil y mil años: no ahorra siglos ni vidas, porque cuenta con dos cosas inagotables, el tiempo y la fecundidad. Con tanta indiferencia mira el nacimiento de un microbio como la desaparición de un astro, y rellenaría un abismo con el cadáver de la Humanidad para que sirviera de puente a una hormiga.

La Naturaleza, indiferente para los hombres en la Tierra ¿se volverá justa o clemente porque bajemos al sepulcro y revistamos otra forma? Vale tanto como figurarnos que un monarca dejará de ser sordo al clamor de la desgracia porque sus súbditos varíen de habitación o cambíen de harapos.

---

(1) Obra insípida y sin interés. Expresión derivada del nombre de Armando Berquín, autor francés de libros para la juventud (Nota de la edición).

Vayamos donde vayamos, no saldremos del Universo, no escaparemos a leyes inviolables y eternas

Amilana y aterra considerar a qué parajes, a qué transformaciones, puede conducirnos al torbellino de la vida. Nacer parece entrar en una danza macabra para nunca salir, caer en un vertiginoso torbellino para girar eternamente sin saber cómo ni por qué.

¿Hay algo más desolado que nuestra suerte? ¿Más lúgubre que nuestra esclavitud? Nacemos sin que nos hayan consultado, morimos cuando no lo queremos, vamos tal vez donde no desearíamos ir, Años de años peregrinamos en un desierto, y el día que fijamos tienda y abrimos una cisterna y sembramos una palma y nos apercibimos a descansar, asoma la muerte. ¿Queremos vivir? pues la muerte. ¿Queremos morir?, pues la vida. ¿Qué distancia media entre la piedra atraída al centro del Globo y el hombre arrastrado por una fuerza invencible hacia un paraje desconocido?

¿Por qué no somos dueños ni de nosotros mismos? Cuando la cabeza gravita sobre nuestros hombros con el peso de una montaña, cuando el corazón se retuerce en nuestro pecho como tigre vencido pero no domesticado, cuando el último átomo de nuestro ser experimenta el odio y la náusea de la existencia, cuando nos mordemos la lengua para detener la explosión de una estúpida blasfemia. ¿por qué no tenemos poder de anonadarnos con un acto de la voluntad?

¿Acaso todos los hombres desean la inmortalidad? Para muchos, la Nada se presenta como inmersión deliciosa en mar sin fondo, como desvanecimiento voluptuoso en atmósfera infinita, como sueño sin pesadillas en noche sin término. Mirabeau, moribundo, se regocijaba con la idea de anonadarse. ¿Acaso siempre resolvemos de igual modo el problema de la inmortalidad? Unas veces, hastiados de sentir y fatigados de pensar, nos desconsolamos con la perspectiva de una actividad eterna y envidiamos el ocio estéril de la nada; otras veces experimentamos insaciable sed de sabiduría, curiosidad inmensa, y anhelamos existir como esencia impalpable y ascendente, para viajar de mundo en mundo, viéndolo todo, escudriñándolo todo, sabiéndolo todo; otras veces deseamos yacer en una especie de nirvana, y de cuando en cuando recuperar la conciencia por un sólo instante, para gozar la dicha de haber muerto.

Pero ¿a qué amilanarse? Venga lo que viniere. El miedo, como las solfataras de Nápoles, puede asfixiar a los animales que llevan la frente ras con ras del suelo, no a los seres que levantan la cabeza unos palmos de la tierra. Cuando la muerte se aproxima, salgamos a su encuentro, y muramos de pie como el Emperador romano. Fijemos los ojos en el misterio, aunque veamos espectros amenazantes y furiosos; extendamos las manos hacia lo Desconocido, aunque sintamos la punta de mil puñales. Como dice Guyau, "que nuestro último dolor sea nuestra última curiosidad".

Hay modos y modos de morir: unos salen de la vida, como espantadizo reptil que se guarece en las rajaduras de una peña; otros se van a lo tenebroso, como águila que atraviesa un nubarrón cargado de tormentas. Hablando aquí sin preocupaciones gazmoñas, es indigno de un hombre morir demandando el último puesto en el banquete de la Eternidad, como el mendigo pide una migaja de pan a las puertas del señor feudal que siempre le vapuleó sin misericordia. Vale más aceptar la responsabilidad de sus acciones y lanzarse a lo Desconocido, como sin papeles ni bandera el pirata se arroja a las inmensidades del mar.

II

Nosotros nos figuramos al Todo como una repetición inacabable del espectáculo que ven nuestros ojos o fantasea nuestra imaginación; pero ¿qué importa el diminuto radio de nuestras observaciones? ¿Qué valor objetivo poseen nuestras concepciones cerebrales? Probamos la unidad de las fuerzas físicas y la unidad material del Universo; y ¡quién sabe si nos encontramos en el caso del espectador iluso que toma por escenario y actores las simples figuras del telón!

Extendemos brazos de pigmeo para coger y abarcar lo que dista de nosotros una eternidad de tiempo y una inmensidad de espacio. Nos enorgullecemos con haber encontrado la verdad; cuando, en lo más dulce de las ilusiones, la observación y el experimento derriban todos nuestros sistemas y todas nuestras religiones, como el mar desbarata en sus playas los montículos de arena levantados por un niño. Todas las generaciones se afanan por descubrir el secreto de la vida, todas repiten la misma interrogación; pero la Naturaleza responde a cada hombre con diversas palabras y guarda eternamente su misterio.

¿Qué separa la cristalización mineral, la célula de las plantas y la membrana de los animales? ¿Qué diferencia media entre savia y sangre? El hombre ¿representa el último eslabón de los seres terrestres o algún día quedará desposeído de su actual supremacía? Cuando nacemos ¿surgimos de la nada o sólo realizamos una metempsícosis? ¿A qué venimos a la Tierra? Todo lo creeríamos un sueño, si el dolor no probara la realidad de las cosas.

La duda, como noche polar, lo envuelve todo; lo evidente, lo innegable, es que en el drama de la existencia todos los individuos representamos el doble papel de verdugos y víctimas. Vivir significa matar a otros; crecer, asimilarse el cadáver de muchos. Somos un cementerio ambulante donde miríadas de seres se entierran para darnos vida con su muerte. El hombre, con su vientre insaciable, hace del Universo un festín de cien manjares; mas no creamos en la resignación inerme de todo lo creado: el mineral y la planta esconden sus venenos, el animal posee sus garras y sus dientes. El microbio carcome y destruye el organismo del hombre: lo más humilde abate a lo más soberbio. El omnívoro comedor es comido a su vez.

¿Para qué tanta hambre de vivir? Si la vida fuera un bien, bastaría la seguridad de perderla para convertirla en mal. Si cada segundo marca la agonía de un hombre ¿cuántas lágrimas se derraman en un sólo día? ¿Cuántas se han derramado desde que la Humanidad existe? Los nacidos superan a los muertos; pero ¿gozamos al venir al mundo? Esa masa de carne que llamamos un recién nacido, ese frágil ente que dormita con ojos abiertos, como si no hubiera concluído de sacudir la somnolencia de la nada, sabe quejarse, mas no reírse. El alumbramiento ¿no causa el dolor de los dolores? En el lecho de la mujer que alumbra se realiza un duelo entre el ser estupido y egoísta que pugna por nacer y la persona inteligente y abnegada que batalla por dar a otro la vida.

¿Por qué hay un Sol hermoso para iluminar escenas tristes? Cuando se ve sonreír a los niños, cuando se piensa que mañana morirán en el dolor o vivirán en amarguras más acerbas que la muerte, un inefable sentimiento de conmiseración se apodera de los corazones más endurecidos. Si un tirano quería que el pueblo de Roma poseyera una sola cabeza, para cercenársela de un tajo; si un humorista inglés deseaba que las caras de todos los hombres se redujeran a una sola, para darse el gusto de escupirla ¿quién no anhelaría que la Humanidad tuviera un sólo rostro, para poderla enjugar todas sus lágrimas?

Hay horas de solidarismo generoso en que no sólo amamos a la Humanidad entera, sino a brutos y aves, plantas y lagos, nubes y piedras; hasta querríamos poseer brazos inmensos para estrechar a todos los seres que habitan los globos del Firmamento. En esas horas admiramos la magnanimidad de los eleusinos que en sus leyes prescribían no matar animales y concebimos la exquisita sensibidad de los antiguos arianos que en sus oraciones a Indra le imploraban que hiciera descender bendición y felicidad sobre los entes animados y las cosas inanimadas. La verdadera caridad no se circunscribe al hombre: como ala gigantesca se extiende para cobijar todo el Universo.

¿Por qué negar la perversidad humana? Hay hombres que matan con su sombra, como el manzanillo de Cuba o el duho-upas de Java. La Humanidad, como el océano, debe ser vista de lejos; como el tigre merece un bocado, no una caricia. El mérito engendra envidias, el beneficio produce ingratitudes, el bien acarrea males. nuestros amigos parecen terrenos malditos donde sembramos trigo y cosechamos malas yerbas; las mujeres que amamos con todo el calor de nuestras entrañas, son impuras como el lodo de los caminos o ingratas como las víboras calentadas en el seno. Pero ¿qué origina la perversidad? Un infeliz ¿puede ser bueno y sufrido? Toda carne desgarrada se rebela contra Cielo y Tierra.

Si el hombre sufre una crucifixión ¿se eximen de padecer el animal, la planta y la roca? ¿Qué realidad encierran nuestras casuísticas diferencias de materia inanimada y animada, de seres inorgánicos y orgánicos? ¿Quién sabe lo que pasa en las moléculas de una piedra? Tal vez una sola gota de agua encierra más tragedias y más dolores que toda la historia de la Humanidad. El gran paquidermo y el arador, el cedro del Líbano y el liquen de Islandia, el bloque de la cordillera y la arenilla del mar, todos "son nuestros compañeros en la vida", nuestros hermanos en el infortunio. Filósofos antiguos creían a los astros unos animales gigantescos. La celeste armonía que Pitágoras escuchaba ¿no será el gemido exhalado por las humanidades que habitan en las moles del Firmamento? Dondequiera que nos transportemos con la imaginación, donde concibamos la más rudimentaria o la más compleja manifestación de ser, allí están la amargura y la muerte. Quien dijo existencia dijo dolor; y la obra más digna de un Dios consistiría en reducir el Universo a la nada.

En este martirologio infinito no hay ironía más sangrienta que la imperturbable serenidad de las leyes naturales; no hay desconsuelo más profundo que lo intangible, lo impersonal, de las fuerzas opresoras: nos trituran inconscientes piedras de molino, nos estrangulan manos que sentimos y no podemos asir, nos despedazan monstruos de cien bocas invisibles. Mas el Universo ¿es actor, cómplice, verdugo, víctima o sólo instrumento y escenario del mal? ¡Quién lo sabe! Sin embargo, se diría muchas veces que en medio del horror universal y eterno *alguien* goza y se pasea, como Nerón se paseaba entre el clamor de hombres, lentamente devorados por el fuego y convertidos en luminarias.

Mas ¿qué determinación seguir en la guerra de todos contra uno y de uno contra todos? Si con la muerte no queda más refugio que el sometimiento mudo, porque toda rebelión es inútil y ridícula, con la vida nos toca la acción y la lucha. La acción aturde, embriaga y cura el mal de vivir; la lucha centuplica las fuerzas, enorgullece y da el dominio de la Tierra. No vegetemos ocupados únicamente en abrir nuestra fosa ni nos petrifiquemos en la inacción hasta el punto que aniden pájaros en nuestra cabeza.

Poco, nada vale un hombre; pero ¿sabemos el destino de la Humanidad? ¿Sabemos si está cerrado el ciclo de nuestra evolución? ¿Sabemos si nuestra especie dará origen a una especie superior? ¿No concebimos que el *ser de mañana* supere al hombre de hoy como Platón al gorila, como Friné a la Venus hotentota? Viendo de qué lugar salimos y dónde nos encontramos, comparando lo que fuimos y lo que somos, puede calcularse adónde llegaremos y lo que seremos mañana. Habitábamos la caverna o el bosque, y ya vivimos en el palacio; rastreábamos en las tinieblas de la bestialidad, y ya sentimos la sacudida vigorosa de alas interiores que nos impelen a regiones de serenidad y luz. El animal batallador y antropófago produce hoy abnegados tipos que defienden al débil, se declaran paladines de la justicia y se inoculan enfermedades para encontrar el medio de combatirlas; el salvaje, feliz antes con dormir, comer y procrear, escribe la *Iliada,* erige el Partenón y mide el curso dc los astros.

Ninguna luz sobrehumana nos alumbró en nuestra noche, ninguna voz amiga nos animó en nuestros desfallecimientos, ningún brazo invisible combatió por nosotros en la guerra secular con los elementos y las fieras: lo que fuimos, lo que somos, nos lo debemos a nosotros mismos. Lo que podamos ser nos lo deberemos también. Para marchar, no necesitamos ver arriba, sino adelante. Sobradas horas poblamos el Firmamento con los fantasmas de nuestra imaginación y dimos cuerpo a las alucinaciones forjadas por el miedo y la esperanza; llega el tiempo de arrojar la venda de nuestros ojos y ver el Universo en toda su hermosa pero también en toda su implacable realidad.

No pedimos la existencia; pero con el hecho de vivir, aceptamos la vida. Aceptémosla, pues, sin monopolizarla ni quererla eternizar en nuestro beneficio exclusivo; nosotros reímos y nos amamos sobre la tumba de nuestros padres; nuestros hijos reirán y se amarán sobre la nuestra.

(*) Ensayo escrito en 1890 e incluído en *Páginas Libres.*

NOTAS ACERCA DEL IDIOMA *

I

LAMARTINE lamentaba que pueblo y escritores no hablaran la misma lengua y decía: "Al escritor le "cumple transformarse e inclinarse, a fin de poner "la verdad en manos de las muchedumbres: incli- "narse así, no es rebajar el talento, sino humanizarlo".

Los sabios poseen su tecnicismo abstruso, y nadie les exige que en libros de pura Ciencia se hagan comprender por el individuo más intonso. La oscuridad relativa de las obras científicas no se puede evitar, y pretender que un ignorante las entienda con sólo abrirlas, vale tanto como intentar que se traduzca un idioma sin haberle aprendido ¿Cómo exponer en vocabulario del vulgo nomenclaturas químicas? ¿Cómo formular las teorías y sistemas de los sabios modernos? No será escribiendo llegar a ser por *devenir*, otrismo por *altruismo* ni salto atrás por *atavismo*. Se comprende que no haya labor tan difícil ni tan ingrata como la vulgarización científica: sin el vulgarizador, las conquistas de la ciencia serían el patrimonio de algunos privilegiados. Virgilio se jactaba de haber hecho que las selvas fueran dignas de ser habitadas por cónsules; los vulgarizadores modernos hacen más al conseguir que la verdad se despoje algunas veces de su ropaje aristocrático y penetre llanamente a la mansión del ignorante.

En la simple literatura no sucede lo mismo. Los lectores de novelas, dramas, poesía, etc., pertenecen a la clase medianamente ilustrada y piden un lenguaje fácil, natural, comprensible sin necesidad de recurrir constantemente al diccionario. Para el conocimiento perfecto de un idioma se requiere años enteros de contracción asidua, y no todos los hombres se hallan en condiciones de pasar la vida estudiando gramáticas y consultando léxicos. El que se suscribe al diario y compra la novela o el drama, está en el caso de exigir que le hablen comprensible y claramente. La lectura debe proporcionar el goce de entender, no el suplicio de adivinar.

Las obras maestras se distinguen por la *accesibilidad,* no formando el patrimonio de unos cuantos iniciados, sino la herencia de todos los hombres con sentido común. Homero y Cervantes merecen llamarse ingenios democráticos: un niño les entiende. Los talentos que presumen de aristocráticos, los inaccesibles a la muchedumbre, disimulan lo vacío del fondo con lo tenebroso de la forma: tienen profundidad de pozo que no da en agua, elevación de monte que vela entre nubes un pico desmochado.

Los autores franceses dominan y se imponen, porque hacen gala de claros, y profesan que "lo claro es francés", que "lo oscuro no es humano ni divino". Y no creamos que la claridad estriba en decirlo todo y explicarlo todo, cuando suele consistir en callar algo dejando que el público lea entre renglones. Nada tan fatigoso como los autores que explican hasta las explicaciones, como si el lector careciera de ojos y cerebro. El eximio dibujante, suprimiendo sombras y líneas, logra con unos cuantos rasgos dar vida y expresión a la fisonomía de un hombre; el buen escritor no dice demasiado ni muy poco y, eliminando lo accesorio y sobrentendido, concede a sus lectores el placer de colaborar con él en la tarea de darse a comprender (1).

Los libros que la Humanidad lee y relee, sin cansarse nunca, no poseen la sutileza del bordado, sino la hermosura de un poliedro regular o el grandioso desorden de una cordillera; porque los buenos autores, como los buenos arquitectos, se valen de grandes líneas y desdeñan ornamentaciones minuciosas y pueriles. En el buen estilo, como en los bellos edificios, hay amplia luz y vastas comunicaciones, no intrincados laberintos ni angostos vericuetos.

Las coqueterías y amaneramientos de lenguaje seducen a imaginaciones frívolas que se alucinan con victorias académicas y aplausos de corrillo; pero "no cuadran con los espíritus serios que se arrojan valerosamente a la luchas morales de su siglo". Para ejercer acción eficaz en el ánimo de sus contemporáneos, el escritor debe amalgamar la inmaculada trasparencia del lenguaje y la sustancia medular del pensamiento. Sin naturalidad y claridad, todas las perfecciones se amenguan, desaparecen. Si Herodoto hubiera escrito como Gracián, si Píndaro hubiera cantado como Góngora ¿habrían sido escuchados y aplaudidos en los juegos olímpicos?

Ahí los grandes agitadores de almas en los siglos XVI y XVIII; ahí Lutero, tan demoledor de Papas como regenerador del idioma alemán; ahí particularmente Voltaire con su prosa, natural como un

---

(1) Michel Bréal.—*Mélanges de Mythologie et de linguistique.* (*Miscelánea de mitología y de lingüística*).

movimiento respiratorio, clara como un alcohol rectificado.

II

Afanarse por que el hombre de hoy hable como el de ayer, vale tanto como trabajar por que el bronce de una corneta vibre como el parche de un tambor. Pureza incólume de la lengua, capricho académico. ¿Cuándo el castellano fue puro? ¿En qué época y por quién se habló ese idioma ideal? ¿Dónde el escritor impecable y modelo? ¿Cuál el tipo acabado de nuestra lengua? ¿Puede un idioma cristalizarse y adoptar una forma definitiva, sin seguir las evoluciones de la sociedad ni adaptarse al medio? Nada recuerda tanto su inestabilidad a los organismos vitales como el idioma, y con razón los alemanes le consideran como un perpetuo *devenir*. En las lenguas, como en las religiones, la doctrina de la evolución no admite réplica.

Un idioma no es creación ficticia o convencional, sino resultado necesario del medio intelectual y moral, del mundo físico y de nuestra constitución orgánica. Traslademos en masa un pueblo del Norte al Mediodía o viceversa, y su pronunciación variará en el acto, porque depende de causas anatómicas y fisiológicas.

En las lenguas, como en los seres orgánicos, se verifican movimientos de asimilación y movimientos de segregación; de ahí los neologismos o células nuevas y los arcaísmos o detritus. Como el hombre adulto guarda la identidad personal, aunque no conserva en su organismo las células de la niñez, así los idiomas renuevan su vocabulario sin perder su forma sintáxica. Gonzalo de Berceo y el Arcipreste de Hita requieren un glosario, lo mismo Juan de Mena, y Cervantes le pedirá muy pronto.

Los descubrimientos científicos y aplicaciones industriales acarrean la invención de numerosas palabras que empiezan por figurar en las obras técnicas y concluyen por descender al lenguaje común. ¿Qué vocabulario no ha generalizado en menos de 40 años la teoría de Darwin? ¿Qué variedad de voces no crearon las aplicaciones del vapor y de la electricidad? Hoy mismo la Velocipedia nos sirve de ejemplo: diccionarios especiales abundan en Francia, Inglaterra y Estados Unidos para definir los términos velocipédicos; y no se diga que todas esas palabras o frases se reducen al argot de un corrillo; por miles, quizás por millones se cuenta hoy las personas que las entienden y emplean. La Velocipedia posee toda una literatura con sus libros, sus diarios y su público.

Paralelamente al movimiento descensional se verifica el ascensional. Basta cruzar a la carrera uno de los populosos y activos centros comerciales; señaladamente los puertos, para darse cuenta del inmenso trabajo de fusión y renovación verbales. Oímos todas las lenguas, todos los dialectos, todas las jergas y germanías; vemos que las palabras hierven y se agitan como gérmenes organizados que pugnan por vivir y dominar. Cierto, miles de vocablos pasan sin dejar huella, pero también muchos vencen y se imponen en virtud de la selección. La expresión que resonaba en labios de marineros y mozos de cordel, concluye por razonar en boca de sabios y literatos. Los neologismos pasan de la conversación al periódico, del periódico al libro y del libro a la academia.

Y la ascensión y descensión se verifican, quiérase

o no se quiera: "la lengua sigue su curso, indiferente a quejas de gramáticos y lamentaciones de puristas". (2)

El francés, el italiano, el inglés y el alemán acometen y abren cuatro enormes brechas en el viejo castillo de nuestro idioma: el francés, a tambor batiente, penetra ya en el corazón del recinto. Baralt, el severo autor del *Diccionario de Galicismos* confesó en sus últimos años lo irresistible de la invasión francesa en el idioma castellano; pero algunos escritores de España no lo ven o fingen no verlo, y continúan encareciendo la pureza en la lengua, semejantes a la madre candorosa que pregona la virtud de una hija siete veces pecadora.

La corrupción de las lenguas ¿implica un mal? Si por infiltraciones recíprocas, el castellano, el inglés, el alemán, el francés y el italiano se corrompieran tanto que lo hablado en Madrid fuera entendido en Londres, Berlín, París y Roma ¿no se realizaría un bien? Por cinco arroyos tendríamos un río; en vez de cinco metales, un nuevo metal de Corinto. Habría para la Humanidad inmensa economía de fuerza cerebral, fuerza desperdiciada hoy en aprender tres o cuatro lenguas vivas, es decir, centones de palabras y cúmulos de reglas gramaticales. ¿Qué me importaría no disfrutar el deleite de leer el *Quijote* en castellano, si poseo la inmensa ventaja de entenderme con el hombre de París, Roma, Londres y Berlín? Ante la solidaridad humana todas las intransigencias de lenguaje parecen mezquinas y pueriles, tan mezquinas y pueriles como las cuestiones de razas y fronteras. Los provenzales en Francia, los flamencos en Bélgica, los catalanes

---

(2) Arsène Darmesteter.—*La vie des mots.*—(*La Vida de las palabras*).

en España, en fin, todos los preconizadores de lenguas regionales en detrimento de las nacionales, intentan una obra retrógrada: al verbo de gran amplitud, usado por millones de hombres y comprendido por gran parte del mundo intelectual, prefieren el verbo restringido, empleado por miles de provincianos y artificialmente cultivado por unos pocos literatos. Escribir *Mireïo* en provenzal y no en francés, la *Atlántida* en catalán y no en español, es algo como dejar el ferrocarril por la diligencia o la diligencia por cabalgadura.

La lengua usada por el mayor número de individuos, la más dócil para sufrir alteraciones, la que se adapta mejor al medio social, cuenta con mayores probabilidades para sobrenadar y servir de base a la futura lengua universal. Hasta hoy parece que el inglés se lleva la preeminencia: no es sólo la lengua literaria de Byron y Schelley o la filosófica de Spencer y Stuart Mill, no la oficial de Inglaterra, Australia y Estados Unidos, sino la comercial del mundo entero. Quien habla español habla con España; quien habla inglés habla con medio mundo. Podría tal vez llamarse al español y al italiano lenguas de lo pasado, al francés lengua de lo presente, al inglés y alemán lenguas del porvenir. Lenguas, más que viejas, avejentadas, todas las neolatinas necesitan expurgarse de la doble jerga legal y teológica, legada por el Imperio romano y la Iglesia católica.

El sánscrito, el griego y el latín pasaron a lenguas muertas sin que las civilizaciones indostánicas, griegas y romanas enmudecieran completamente. Se apagó su voz, pero su eco sigue repercutiendo. Sus mejores libros reviven traducidos. Tal vez, con la melodía poética de esos idiomas, perdimos la flor de la Antigüedad; pero conservamos el fruto; y ¿quién nos dice que nuestro ritmo de acento valga menos que el ritmo de cantidad? Cuando algunos en su entusiasmo por la literatura clásica, opinan que "nuestras lenguas decrépitas son jergas de bárbaros" en comparación del griego y del latín (3), no hacen más que aplicar a la Lingüística la creencia teológica de la degeneración humana. El ser que sin auxilios sobrenaturales pasó del grito a la palabra y cambió los pobres y toscos idiomas primitivos en lenguas ricas y de construcción admirable, como las habladas en la India y Grecia, se habrá detenido y hasta retrogradado en el desarrollo de sus facultades verbales: hasta el sánscrito, progreso; después, retrogradación; porque según la ley de muchos, el sánscrito es superior al griego, el griego al latín, el latín a todas las lenguas neolatinas. Si algún día se descubrieran libros en lengua más antigua que el sánscrito, los sabios imbuídos de teología y metafísica probarían que esa lengua era superior al sánscrito. Sabemos más que nuestros antepasados, y no hablamos tan bien como ellos. La función no ha cesado de ejercerse, y el órgano se atrofía o se perfecciona. El perfeccionamiento de las lenguas —la pretendida decadencia— ha consistido en pasar de la síntesis al análisis, así como el entendimiento pasó de la concepción en globo y a priori del Universo al estudio particular de los fenómenos y a la formulación de sus leyes. Cierto, vamos perdiendo el hábito de pensar en imágenes, las metáforas se transforman en simples comparaciones, la palabra se vuelve analítica y precisa, con

---

(3) *Histoire des Grecs.*—(*Historia de los griegos*).

detrimento de la poesía; pero, ¿la Humanidad vive sólo de poemas épicos, dramas y odas? ¿El Origen de las especies no vale tanto como la *Iliada*, el binomio de Newton como los dramas de Esquilo, y las leyes de Kepler como las odas de Píndaro? Dígase lo que se diga, hablamos como debemos hablar, como lo exigen nuestra constitución cerebral y el medio ambiente. No siendo indostanos, griegos ni romanos ¿podríamos expresarnos como ellos? Una lengua no representa la marcha total de nuestra especie en todas las épocas y en todos los países, sino la evolución mental de un pueblo en un tiempo determinado: el idioma nos ofrece una especie de cliché que guarda la imagen momentánea de una cosa en perdurable trasformación. El verdadero escritor es el hombre que, conservando su propia individualidad literaria, estereotipia en el libro la lengua usada por sus contemporáneos; y con razón decimos la lengua de Shakespeare, la lengua de Cervantes, la lengua de Pascal o la lengua de Goethe, para significar lo que en una época determinada fueron el inglés, el castellano, el francés y el alemán.

Cuando nuestras lenguas vivas pasen a muertas o se modifiquen tan radicalmente que no sean comprendidas por los descendientes de los hombres que las hablan hoy, ¿habrá sufrido la Humanidad una pérdida irreparable? La desaparición se verificará paulatina, no violentamente: como las naciones, como todo en la Naturaleza, las lenguas mueren dando vida. A no ser un cataclismo general que apague los focos de civilización, el verdadero tesoro, el tesoro científico se conservará ileso. Las conquistas civilizadoras no son palabras almacenadas en diccionarios ni frases disecadas en disertaciones eruditas, sino ideas morales trasmitidas de hombre a hombre y hechos consignados en los libros de Ciencia. La Química y la Física ¿serán menos Química y menos Física en ruso que en chino? ¿Murió la Geometría de Euclides cuando murió la lengua en que está escrita? Si el inglés desaparece mañana ¿desaparecerá con él la teoría de Darwin?

En el idioma se encastilla el mezquino espíritu de nacionalidad. Cada pueblo admira en su lengua el *non plus ultra* de la perfección, y se imagina que los demas tartamudean una tosca jerga. Los griegos menospreciaban el latín y los romanos se escandalizaban de que Ovidio hubiera poetizado en lengua de hiperbóreos. Si los teólogos de la Edad media vilipendiaban a Mahoma por haber escrito el Korán en arábigo y no en hebreo, griego ni latín, los arábes se figuraban su lengua como la única gramaticalmente construída y llamaban al habla de Castilla aljamía o la bárbara. Tras el francés que no reconoce *esprit* fuera de su Rabelais, viene el inglés que mira un ser inferior en el extranjero incapaz de leer a Shakespeare en el original, y sigue el español que por boca de sus reyes ensalza el castellano como la lengua más digna para comunicarnos con Dios.

Como el idioma contiene el archivo sagrado de nuestros errores y preocupaciones, tocarle nos parece una profanación. Si dejáramos de practicar la lengua nativa, cambiaríamos tal vez nuestra manera de pensar, porque las convicciones políticas y las creencias religiosas se reducen muchas veces a fetichismos de palabras. Según André Lefévre, "de las mil y mil confusiones, acarreadas por expresiones análogas, nacieron todas las leyendas de la divina tragicomedia. La Mitología es un dialecto, una antigua forma, una enfermedad del lenguaje" (4).

Con el verbo nacional heredamos todas las concepciones mórbidas acumuladas en el cerebro de nuestros antepasados durante siglos y siglos de ignorancia y barbarie: la lengua amolda nuestra inteligencia, la deforma como el zapato deforma el pie de la mujer china. Por eso, no hay mejor higiene para el cerebro que emigrar a tierra extranjera o embeberse en literaturas de otras lenguas. Salir de la patria, hablar otro idioma, es como dejar el ambiente de un subterráneo para ir a respirar el aire de una montaña.

Se concibe el apego senil del ultramontano al vocablo viejo, desde que las ideas retrógradas se pegan a los giros anticuados, como el sable oxidado se adhiere a la vaina; se concibe también su horror sacrílego al vocablo nuevo, desde que el neologismo, como una especie de caballo griego, lleva en sus entrañas al enemigo. Nada, pues, tan lógico (ni tan risible) como la rabia de algunos puristas contra el neologismo, rabia que les induce a ver en las palabras un enemigo personal. Discutiéndose en la Academia francesa la aceptación de una voz, usada en toda Francia pero no castiza, Royer-Collard exclamó lleno de ira: "Si esa palabra entra, salgo yo".

En la aversión de la Iglesia contra el francés y la preferencia por el latín, reviven el odio de la Sinagoga contra el griego y el amor al hebreo. Como la lengua griega significaba para el judío irreligión y filosofía, el idioma francés encierra para el católico impiedad y Revolución, *Enciclopedia* y *Declaración de los derechos del hombre*. Es la *peste*

(4).—La Religión XIX.

negra y hay derecho de establecer cordón sanitario. Como el judaísmo vivía inseparablemente unido a la lengua hebrea, el Catolicismo ha celebrado con el latín una alianza eterna: el dogma no cabe en las lenguas vivas; a lo muerto, lo invariable; a la momia, el sarcófago de piedra.

III

El castellano se recomienda por la energía, como idioma de pueblo guerrero y varonil. Existe lengua más armoniosa, más rica, más científica, no más enérgica: sus frases aplastan como la masa de Hércules, o parten en dos como la espada de Carlomagno. Hoy nos sorprendemos con la ruda franqueza y el crudo naturalismo de algunos escritores antiguos que lo dicen todo sin valerse de rodeos ni disimulos, y hasta parece que pasáramos a lengua extranjera cuando, después de leer por ejemplo a Quevedo (al Quevedo de las buenas horas), leemos a esos autores neoclásicos que usan una fraseología correcta y castiza.

En los siglos XVI y XVII hubo en España una florescencia de escritores que pulimentaron y enriquecieron el idioma sin alterar su índole desembarazada y viril. Los poetas, siguiendo las huellas de Garcilaso, renovaron completamente la versificación al aclimatar el endecasílabo italiano: con la silva, el soneto y la octava real parece que el ingenio español cobró mayores alas. Para formarse idea del gigantesco paso dado en la poesía, basta comparar las coplas de Ayala o las quintillas de Castillejo con la *Noche serena*, la *Canción a las ruinas de Itálica* y la *Batalla de Lepanto*. Los prosadores no se quedaron atrás, aunque intentaron dar al período colosales dimensiones, imitando ciegamente a Cicerón. Sin embargo, en cada escritor, señaladamente en los historiadores, trasciende la fisonomía personal, de modo que nadie confunde a Melo con Mariana ni a Mendoza con Moncada. Cierto, ninguno llegó a la altura de Pascal y Lutero: los heterodojos no fueron eminentes prosadores, y los buenos escritores no fueron ortodoxos. El mayor defecto de los autores castellanos, lo que les separa de la Europa intelectual, lo que les confina en España dándoles carácter insular, es su catolicismo estrecho y menguado. Se siente en sus obras, como dice Egard Quinet, "el alma de una gran secta, no el alma viviente del género humano". Fuera de Cervantes, ningún autor español disfruta de popularidad en Europa. Duele imaginar lo que habrían realizado un Góngora y un Lope de Vega, un Quevedo y un Calderón, si en lugar de vivir encadenados al Dogma hubieran volado libremente o seguido el movimiento salvador de la Reforma. En el orden puramente literario, Saavedra Fajardo insinuó algo atrevido y original: despojar el idioma de idiotismos y modismos, darle una forma precisa y filosófica, tal vez matemática. Dotado de más ingenio habría iniciado en la prosa una revolución tan fecunda como la realizada por Garcilaso en el verso; pero queriendo imitar o corregir a Maquiavelo, se quedó con su *Príncipe cristiano* a mil leguas del gran florentino.

A mediados del siglo XVIII surgió un linaje de prosadores, peinados y relamidos, que exageraron el latinismo de los escritores de los dos siglos anteriores, y de un idioma todo músculos y nervios hicieron una carne excrecente y fungosa. Por la manía de construir períodos ciceronianos y mantener suspenso el sentido desde la primera hasta la última línea de una página en folio, sustituyeron al encadenamiento lógico de las ideas el enlace caprichoso y arbitrario de las particulas. Sacrificaron la sustancia a la rotundidad y construyeron esferas geométricamente redondas, pero huecas.

Verdad, en nuestro lenguaje se reflejan la exuberancia y la pompa del carácter español: el idioma castellano se goza más en lo amplio que en lo estrecho, parece organizado, no para arrastrarse a gatas, sino para marchar con solemnidad y magnificencia de reina que lleva rica y aterciopelada cola. Pero, verdad también que entre el lenguaje natural y pintoresco del pueblo español y el lenguaje artificial y descolorido de sus escritores relamidos media un abismo.

La frase pierde algo de su virilidad con la superabundancia de artículos, pronombres, proposiciones y conjunciones relativas. Con tanto *el* y *la los* y *las, el* y *ella, quien* y *quienes, el cual* y *la cual,* las oraciones parecen redes con hilos tan enmarañados como frágiles. Nada relaja tanto el vigor como ese abuso en el relativo *que* y en la preposición *de.* Los abominales pronombres *cuyo* y *cuya, cuyos y cuyas* dan origen a mil anfibologías, andan casi siempre mal empleados hasta por la misma Academia española. El pensamiento expresado en inglés con verbo, sustantivo, adjetivo y adverbio, necesita en el castellano de muchos españoles una retahila de pronombres, artículos y preposiciones. Si, conforme a la teoría *spenceriana,* el lenguaje se reduce a máquina de trasmitir ideas ¿qué se dirá del mecánico que malgasta fuerza en rozamientos innecesarios y conexiones inútiles?

Si nuestra lengua cede en concisión al inglés, compite en riqueza con el alemán, aunque no le iguala en libertad de componer voces nuevas con voces simples, de aclimatar las exóticas y hasta de inventar palabras. Lo último degenera en calamidad germánica, pues filósofo que inventa o se figura inventar un nuevo sistema, se crea vocabulario especial, haciendo algo como la aplicación del libre examen al lenguaje. La asombrosa flexibilidad del idioma alemán se manifiesta en la poesía: los poetas germánicos traducen con fiel maestría larguísimas composiciones, usando el mismo número de versos que el original, el mismo número de sílabas y la misma colocación de las consonantes. A más, no admiten lenguaje convencional de la poesía, y como los ingleses, cantan con admirable sencillez cosas tan llanas y domésticas que traducirlas en nuestra lengua sería imposible o dificilísimo. Mientras en castellano el poeta se deja conducir por la forma, en alemán el poeta subyuga rima y ritmo. Los versos americanos y españoles ofrecen hoy algo duro, irreductible, como sustancia rebelde a las manipulaciones del obrero: los endecasílabos sobre todo, parecen barras de hierro simétricamente colocadas. En muy reducido número de autores, señaladamente en Campoamor, se descubre la flexibilidad germánica, el poder soberano de infundir vida y movimiento a la frase poética.

Pero, no sólo tenemos lenguaje convencional en la poesía, sino prosa hablada y prosa escrita: hombres que en la conversación discurren llanamente, como cualquiera de nosotros, se expresan estrafalaria y oscuramente cuando manejan la pluma: como botellas de prestidigitador, chorrean vino y en seguida vinagre. Parece que algunos bosquejan un borrador y en seguida emprenden una traducción de lo inteligible y llano a lo ininteligible y escabroso; y el procedimiento no debe de ofrecer dificultades insuperables, cuando individuos profundamente legos, tan legos que no saben ni los rudimentos gramaticales, logran infundir a su prosa un aire añejo y castizo. Con períodos kilométricos salpimentados de inversiones violentas; con lluvia de modismos, idiotismos y refranes cogidos al lazo, en el diccionario; con decir *peinar canas* por tener canas, *parar mientes* por atender, *guapa moza* por joven hermosa, *antojeme* por me antojé o *díjeme* por me dije, se sale airosamente del apuro. El empleo de refranes, aunque no sea novedad (pues Sancho Panza dio el ejemplo), posee la ventaja de hacer reír con chistes que otros inventaron. Todo esto, más que lucubración de cerebro, es labor de mano: hacer listas de frases o palabras y luego encajonarlas en lo escrito. Obras compuestas con tal procedimiento seducen un rato, pero acaban por hastiar: descubren el sabor *libresco* y prueban que el peor enemigo de la literatura se encierra en el diccionario.

Cierto, la palabra requiere matices particulares, desde que no se perora en club revolucionario como se cuchichea en locutorio de monjas. Tal sociedad y tal hombre, tal lenguaje. En la corte gazmoña de un Carlos el Hechizado, se chichisbea en términos que recuerdan los remilgamientos de viejas devotas y las genuflexiones de cortesanos; mientras en el pueblo libre de Grecia se truena con acento en que reviven las artísticas evoluciones de los juegos píticos y la irresistible acometida de las falanges macedónicas.

Montaigne gustaba de "un hablar ingenuo y simple, tal en el papel como en la boca, un hablar suculento y nervudo, corto y conciso, no tanto delicado y peinado como vehemente y brusco". Hoy gustaría de un hablar moderno. ¿Hay algo más ridículo que salir con *magüer, aina mais, cabe el arroyo* y *doncel acuitado* mientras vibra el alambre de un telégrafo, cruje la hélice de un vapor, silba el pito de una locomotora y pasa por encima de nuestras cabezas un globo aerostático?

Aquí, en América y en nuestro siglo, necesitamos una lengua condensada, jugosa y alimenticia, como extracto de carne; una lengua fecunda como riego en tierra de labor; una lengua que desenvuelva períodos con el estruendo y valentía de las olas en la playa; una lengua democrática que no se arredre con nombres propios ni con frases crudas como juramento de soldado; una lengua, en fin, donde se perciba el golpe del martillo en el yunque, el estridor de la locomotora en el riel, la fulguración de la luz en el foco eléctrico y hasta el olor del ácido fénico, el humo de la chimenea o el chirrido de la polea en el eje.

(*) De *Páginas Libres*, Este ensayo data de 1889.

INDICE

EMPRESA GRAFICA
T. SCHEUCH S. A.
LIMA — PERU
1956

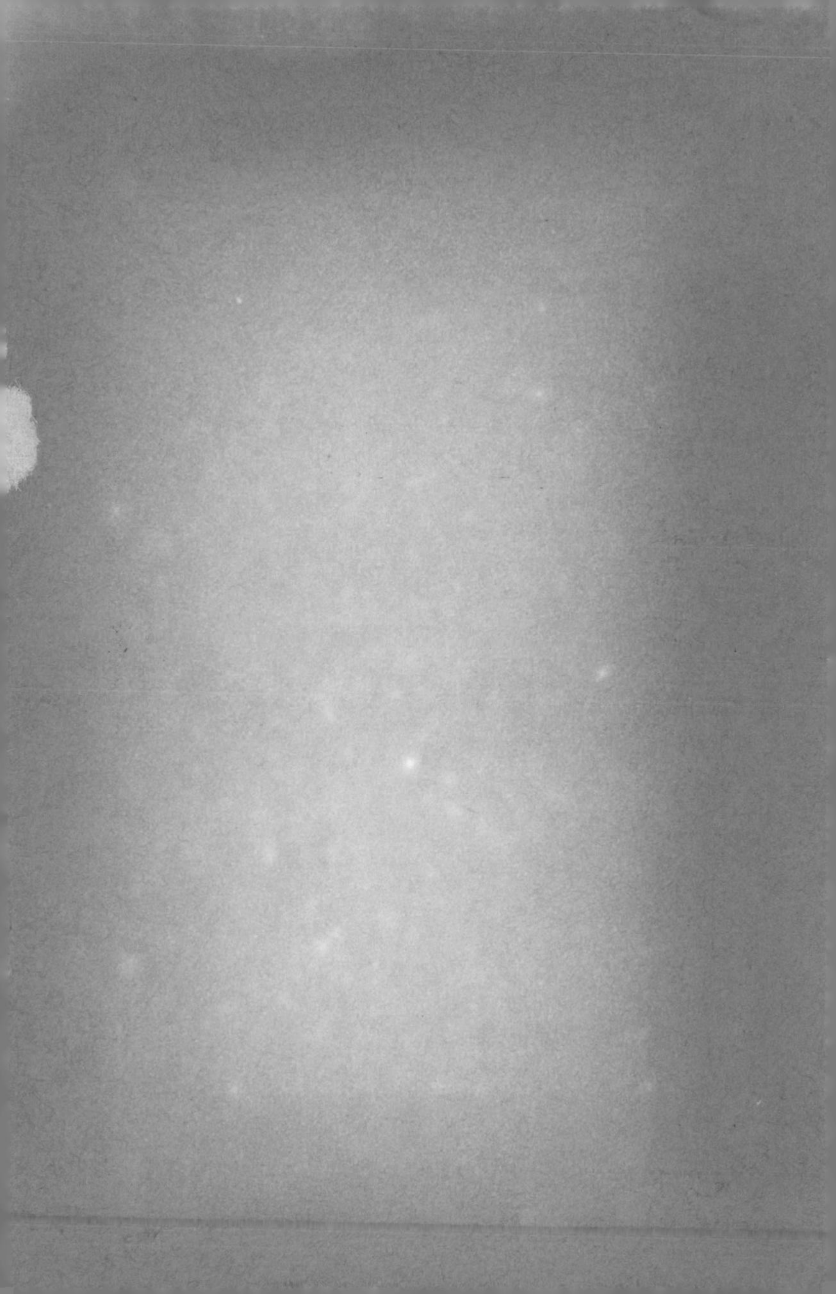